adomania 4

Méthode de français

Cahier d'activités

Fabienne Gallon • Céline Himber

hachette

FRANÇAIS LANGUE ÉTRANGÈRE

www.hachettefle.fr

Crédits iconographiques

Photo de couverture : Shutterstock.

Étape 1 **p. 18 bas** Christian Lacroix © Getty/Bertrand Rindoff Petroff ; **p. 19** © Shutterstock/Frederic Legrand – COMEO ; Étape 2 **p. 23 a** François Gabart © Getty/Lloyd Images; **e** Serguëi Bubka © Getty/The Asahi Shimbun ; **f** Equipe de france de handball féminin, championne du monde 2017 © Getty/Oliver Hardt ; **p. 26** logo de l'AES, association des écrivains sportifs, avec l'aimbale autorisation de l'association ; couverture du roman *Premier de Cordée*, de R. Frison-Roche © éditions J'ai lu ; couverture du roman *Courir*, de J. Echenoz © éditions de Minuit ; couverture du roman *Scène de boxe*, de E. Robert-Nicoud © éditions Stock ; **p. 27** Teddy Riner © Getty/David Finch ; Étape 4 **p. 30** © Shutterstock/Wjarek ; Étape 5 **p. 37** Protections en plastique du visage contre des tempêtes de neige © Spaarnestad/Rue des Archives ; Lunettes pour lire au lit DR ; Chapeau radio © Spaarnestad/Rue des Archives ; **p. 38 exemple** © Costa/Leemage **a** © Mary Evans/Rue des Archives **b** © MEPL/Rue des Archives **c** ©Rue des Archives/PVDE **d** ©Selva/Leemage ; **p. 40** Edwin Aldrin marchant sur la lune le 20 juillet 1969 lors de la mission Apollo 11 © Rue des Archives/Everett/CSU ; couverture du roman *1984*, de G. Orwell © Le Livre de poche, couverture de 1967 ; **p. 66 b** DR **c** ©Jean-Marc Zaorski/Gamma Rapho ; Étape 6 **p. 45** une de l'hebdomadaire *L'éco* © L'éco ; **p. 47 b** © Shutterstock/Lawrey ; **p. 48 b** © Shutterstock/VPales ; **p. 50** couverture de la bande dessinée *Adèle Blanc-Sec, Le mystère des profondeurs*, tome 8, de J. Tardi © Casterman - avec l'aimable autorisation de l'auteur et des Éditions Casterman ; Étape 7 **p.58 c** "Le rémouleur", tableau d'Alexandre Gabriel Decamps, Paris, Musée du Louvre © Photo Josse/Leemage ; Étape 8 **p. 65** couverture du roman *La planète des singes*, de P. Boule © éditions Pocket ; **p. 66 c** Le scénariste de bande dessinée Fabien Vehlmann © Jean-Marc Zaorski/Gamma Rapho ; **p. 68 haut** © Shutterstock/Anton_Ivanov ; Ateliers d'écriture **p. 71** calligramme de G. Apollinaire, avec l'aimable autorisation des éditions du Mercure de France ; **p. 72** Portrait de Marcel Proust vers 1900 © Lee/leemage ; **p. 77** Le chanteur Grand Corps Malade © Getty/Eric Catarina.

Autres photos : Shutterstock.

Nous avons fait notre possible pour obtenir les autorisations de reproduction des documents publiés dans cet ouvrage. Dans le cas où des omissions ou des erreurs se seraient glissées dans nos références, nous y remédierons dans les éditions à venir.

Couverture : Nicolas Piroux
Conception graphique : Anne-Danielle Naname – Barbara Caudrelier
Mise en pages : Barbara Caudrelier
Suivi éditorial : Olivier Martin
Illustrations : Gabriel Rebufello
Enregistrements : Studio Quali'sons

ISBN 978-2-01-625272-7
© HACHETTE LIVRE, 2018
58, rue Jean Bleuzen, CS 70007, 92178 Vanves Cedex, France.

http://www.hachettefle.fr

Révise ton français en 30 questions !

GRAMMAIRE   CONJUGAISON   VOCABULAIRE   COMMUNICATION

1 **Coche le pronom relatif correct.**
Il y a des pays ☐ *que* ☐ *qu'* ☐ *qui* ☐ *où* on donne beaucoup d'importance aux traditions.

2 **Coche les participes passés corrects.**
a. Elles sont ☐ *resté* ☐ *restée* ☐ *restés* ☐ *restées* là tout l'après-midi.
b. Vous n'êtes pas ☐ *rentré* ☐ *rentrée* ☐ *rentrés* ☐ *rentrées* dans le Manga café ?

3 **Coche l'option correcte dans chaque phrase.**
a. Il ☐ *le* ☐ *lui* donne des conseils. b. Tu ☐ *les* ☐ *leur* énerves ! c. Envoie- ☐ *me* ☐ *moi* une photo !

4 **Coche les mots qui décrivent une mauvaise relation.**
☐ *énerver* ☐ *se disputer* ☐ *faire rire* ☐ *bien s'entendre* ☐ *se réconcilier*

5 **Quel participe passé finit pas « -is » ?**
☐ *écrire* ☐ *découvrir* ☐ *lire* ☐ *partir* ☐ *mourir* ☐ *mettre*

6 **Coche les réponses correctes à la question : « *C'est en quoi ?* ».**
C'est ☐ *en forme de brique.* ☐ *en plastique.* ☐ *en bois.* ☐ *allongé.* ☐ *en métal.*

7 **Quelle phrase est fausse ?**
a. ☐ *À l'imparfait, il n'y a pas de verbes irréguliers.*
b. ☐ *Pour former l'imparfait, on prend le radical de la 1ᵉ personne du pluriel (« nous ») au présent.*
c. ☐ *Les terminaisons de l'imparfait sont -ais, -ais, -ait, -ions, -iez, -aient.*

8 **Coche l'option correcte dans chaque phrase.**
a. Ça ☐ *existe* ☐ *existait* déjà il y a vingt ans. b. Ça ☐ *existe* ☐ *existait* depuis vingt ans.

9 **Dans quelle liste est-ce qu'il y a un intrus ?**
a. ☐ la plage – la côte – la mer – le sable
b. ☐ le lac – le volcan – l'hémisphère – la chaîne de montagnes
c. ☐ l'île – l'archipel – l'océan – le pêcheur

10 **Coche la préposition correcte.**
Nous venons ☐ *de* ☐ *du* ☐ *de l'* ☐ *d'* ☐ *de la* Espagne.

11 **Que dis-tu pour prendre congé dans un mail amical ?** *(plusieurs réponses)*
☐ *Coucou* ☐ *Bisous* ☐ *Je t'embrasse* ☐ *À bientôt* ☐ *À plus* ☐ *Chers amis*

12 **Quelle est la phrase équivalente à : « *Il marche depuis dix minutes.* » ?**
a. ☐ *Il est en train de marcher.* b. ☐ *Il va marcher.* c. ☐ *Il a marché pendant 10 minutes.*

13 **Quelle appréciation est négative ?**
C'est ☐ *ennuyeux !* ☐ *pas mal !* ☐ *original !* ☐ *passionnant !* ☐ *top !*

14 **Qu'exprime la phrase « *Avant, ils habitaient dans la même ville.* » ?**
a. ☐ *un fait qui continue dans le présent* b. ☐ *une habitude passée* c. ☐ *un événement du passé*

15 Un roman peut être... *(plusieurs réponses)*
☐ de science-fiction. ☐ fantastique. ☐ d'horreur. ☐ d'animation. ☐ policier.

16 Quel adverbe exprime l'intensité la plus forte ?
C'est ☐ très ☐ plutôt ☐ assez ☐ trop étrange !

17 Quelle attitude est négative ?
☐ le recyclage ☐ le gaspillage ☐ les économies d'énergie ☐ la récupération ☐ le tri des déchets

18 Dans la liste, quels sont les radicaux des verbes *avoir, être* et *savoir* au futur simple ?
☐ ét- ☐ aur- ☐ ser- ☐ sav- ☐ av- ☐ saur-

19 Quelle phrase n'exprime pas la déception ?
☐ Dommage ! ☐ Mince ! ☐ Tant pis ! ☐ Je suis déçu ! ☐ Bien joué !

20 Qu'est-ce qu'on ne doit pas faire si on veut donner une seconde vie à des objets ?
☐ Les échanger. ☐ Les vendre. ☐ Les jeter. ☐ Les donner. ☐ Les réparer.

21 Où doit-on placer le pronom COD « *en* » ?
a. Il ☐ pourra trouver partout. b. Il pourra ☐ trouver partout. c. Il pourra trouver ☐ partout.

22 Quelle phrase n'est pas prononcée par un serveur ?
☐ Vous désirez autre chose ? ☐ Bon appétit ! ☐ Vous avez choisi ?
☐ Je pourrais avoir une cuillère ? ☐ Je vous apporte ça tout de suite !

23 Coche l'option correcte.
Il y a ☐ plus ☐ moins de ☐ aussi ☐ autant choix dans ce restaurant que dans l'autre.

24 Quelle appréciation est positive ?
☐ C'est fade ! ☐ C'est appétissant ! ☐ C'est dégoûtant ! ☐ Ça n'a pas de goût ! ☐ C'est mauvais !

25 Que peut-on répondre à la question : « *Quels sont les sports que tu préfères ?* » ?
☐ Ceux qui me donnent des sensations fortes. ☐ Celui que mes amis pratiquent.
☐ Celles qui se jouent en équipe.

26 Que dis-tu quand tu n'as pas le moral ?
☐ Je me sens en pleine forme ! ☐ Ça me déprime ! ☐ Je suis de bonne humeur !

27 Que dis-tu pour rassurer quelqu'un ?
☐ Tu m'énerves ! ☐ Ne t'en fais pas ! ☐ Ça m'inquiète !

28 Dans quelle liste il n'y a pas d'intrus ?
a. ☐ le goût – la bouche – la langue – les yeux b. ☐ écouter – les oreilles – l'ouïe – respirer – entendre
c. ☐ sentir – la peau – caresser – le toucher d. ☐ voir – la vue – sourire – regarder – un œil

29 Au présent, quel verbe ne finit pas par « *-ez* » à la 2ᵉ personne du pluriel ?
☐ lire ☐ dire ☐ interdire

30 Quels comportements sont des incivilités ?
☐ Bousculer quelqu'un. ☐ Salir les sièges des bus. ☐ Tenir la porte à quelqu'un.

→ Vérifie tes réponses p. 78

Justifions des choix

VOCABULAIRE

1 Internet et les réseaux sociaux. **Complète la grille.**

Verticalement

1 Vidéo d'aide à l'apprentissage

3 Site destiné à publier des vidéos

4 Contraire d'allumer

Horizontalement

2 Donner un avis

5 Followeuse

6 Message court

7 Publier

COMMUNICATION

2 Exprimer la cause et la conséquence. **Reconstitue les expressions puis complète.**

| UV QU' | GCERÂ À | CMEOM | OCMEM AÇ | STEC' OIUPORQU | À CSEAU D' |

a Ses vidéos sont géniales ! .... tout le monde les « like » !

b C'est .... sa chaîne YouTube qu'il est devenu célèbre… Et c'est .... elle qu'il a des fans qui le suivent dans la rue !

c .... tous mes amis utilisent Snapchat, moi aussi j'ai créé un compte.

d Il devrait faire attention à ce qu'il publie sur Internet, ... il a déjà eu des problèmes.

e Je vais partager cette vidéo sur Facebook, ..., tu pourras la regarder.

LIRE

3 **Lis l'article. Puis entoure les raisons citées dans le texte.**

Les jeunes adorent les réseaux sociaux car ils peuvent :

échanger d'innombrables infos

échanger avec des amis

se faire de nouveaux amis

présenter ce qu'ils savent faire

savoir s'ils sont populaires

recevoir des infos qui font le buzz

inventer des contenus

se créer une nouvelle image

découvrir de nouvelles passions

Pourquoi les jeunes adorent-ils les réseaux sociaux ?

Oui, les jeunes adorent Facebook, Snapchat, Intagram et les autres ! Principalement parce qu'ils peuvent communiquer avec leurs amis, organiser des sorties, publier des photos, partager des tas d'informations, s'amuser seuls ou à plusieurs, ou encore obtenir des réponses à leurs devoirs. Et puisque les réseaux sont accessibles gratuitement partout et tout le temps : c'est facile ! Mais il existe plein d'autres raisons qui expliquent cette formidable passion.

Sur les réseaux sociaux, les adolescents attendent une réaction des autres sur ce qu'ils mettent en ligne. Ils veulent mesurer leur popularité, faire le buzz, obtenir des centaines ou des milliers de likes. Eh oui ! Car le Web leur offre la possibilité de créer, de montrer leurs talents de musiciens, de joueurs, de citoyens… Les réseaux sociaux leur permettent donc d'évaluer leur image et leur donnent l'impression de pouvoir contrôler leur réputation…

2 Donnons des conseils

L'impératif pour mettre en garde ou conseiller

1 Retrouve 6 formes verbales à l'impératif puis complète les conseils et les mises en garde.

nevousinspirezpasdifférencie-toisouvenons-noussoisayeznesoyonspas

a .... prudent, tout le monde peut voir ce que tu publies sur Internet !

b .... trop des autres youtubeurs : il ne faut pas les copier !

c .... timides devant la caméra !

d .... confiance en vous !

e .... des autres et montre ton originalité !

f .... qu'il faut innover si on veut avoir beaucoup de fans !

2 Transforme les phrases à l'impératif, comme dans l'exemple.

▶ (Je vous conseille d'être original.) > Soyez original.

a ◀ (Tu ne devrais pas avoir peur des commentaires des autres.)

> ....

b ◀ (Nous devrions nous entraîner à parler devant la caméra.)

> ....

c ◀ (Je te conseille de t'amuser à trouver des sujets étonnants !)

> ....

d ◀ (Vous ne devriez pas vous inquiéter si vous n'avez pas beaucoup de vues au début.)

> ....

e ◀ (Je te conseille d'être toi-même et de ne pas chercher à copier les autres !)

> ....

Faire des recommandations

3 **Reconstitue les recommandations puis associe-les aux questions.**

a filmer. – mieux – écrire – scenario – vaut – avant – se – Il – de – un

> ....

b est – de – un – choisir – Il – thème – important – original.

> ....

c ne – est – Il – de – pas – informations – conseillé – d' – personnelles. – diffuser

> ....

d demander – prudent – leur – plus – est – autorisation. – Il – de

> ....

e youtubeurs – préférable – Il – demander – des – conseil – est – de – à – expérimentés.

> ....

f recommandé – Il – faire – est – d' – par – une – semaine. – en

> ....

● ● ● < > | www.faq-a-faq.com

FAQ Toutes les réponses à vos questions sur les réseaux sociaux

1 Combien de vidéos faut-il publier pour faire vivre une chaîne YouTube ? Lire la ré   > Recommandation ......

2 Comment faire pour créer une chaîne YouTube ? Lire la réponse   > Recommandation ......

3 Je peux poster des photos d'autres personnes ? Lire la réponse   > Recommandation ......

4 Je peux parler de ma vie privée dans mes vidéos ? Lire la réponse   > Recommandation ......

5 Quels thèmes aborder sur ma chaîne YouTube ? Lire la réponse   > Recommandation ......

6 Comment faut-il se préparer avant chaque vidéo ? Lire la réponse   > Recommandation ......

---

4 **Reformule les conseils de l'affiche à la forme impersonnelle. Utilise les mots proposés.**

1 (vaut mieux) ....
....

2 (conseillé) ....
....

3 (recommandé) ....
....

4 (plus prudent) ....
....

5 (important) ....
....

6 (préférable) ....
....

www. fais-attention.com

Attention !

Sur Internet, protège-toi !

1 N'accepte pas d'inconnus dans ton réseau d'amis.

2 Ne crois pas tout ce qu'on dit sur Internet.

3 Ne poste pas de photos ou de vidéos qui peuvent gêner les autres.

4 Ne diffuse pas ton adresse mail ou ton numéro de téléphone.

5 Protège tes mots de passe.

6 Parle à un adulte en cas de problème.

Parlons d'un changement de nos habitudes

La négation et la restriction

1 Complète avec *ne*, *n'*, *ni*, *pas*, *que*, *sans* ou *aucun*.

a Une journée .... chatter avec mes amis ? C'est impossible pour moi !

b Ma grand-mère .... a .... smartphone .... tablette.

c Une semaine .... Internet ? Ça .... me pose .... problème !

d À la maison, je .... ai le droit d'utiliser mon téléphone .... jusqu'à 21 heures.

e .... ado .... peut se passer de son téléphone !

2 Réponds en utilisant *ne… aucun(e)*, *aucun(e)… ne* ou *ne…. que*.

a Utilisez-vous les mails et les SMS pour communiquer avec vos amis ?

Nous .... les SMS, pas les mails.

b Tu as perdu tous les contacts de ton téléphone ?

Non, je .... ! Ouf !

c Certains de tes amis sont accros au smartphone ?

Non, ... ! Incroyable, non ?

d Tu postes des vidéos ou des photos sur les réseaux sociaux ?

Je .... photos, jamais de vidéos.

e Tu n'as pas reçu mes messages ?

Non, ... ! C'est bizarre !

L'imparfait et le passé composé

3 Entoure l'option correcte.

▸ Quand son téléphone a sonné, { il faisait une nouvelle vidéo pour sa chaîne YouTube.
il a fait une nouvelle vidéo pour sa chaîne YouTube.

a Quand je suis entré dans ma chambre, { mon frère chattait sur mon ordinateur depuis une heure.
mon frère a chatté sur mon ordinateur depuis une heure.

b Quand j'ai fait tomber mon
téléphone portable,
{ je paniquais tout de suite.
{ j'ai tout de suite paniqué.

c Quand je leur ai retweeté
ce message,
{ tous mes amis me répondaient immédiatement.
{ tous mes amis m'ont répondu immédiatement.

d Quand tu m'as envoyé la vidéo, { je finissais mes devoirs.
{ j'ai fini mes devoirs.

4 **Réécris le témoignage au passé. Utilise le passé composé et l'imparfait.**

www.defi-debranche.fr

Trois semaines sans smartphone !

Semaine 1 Tout **commence** un dimanche soir : mon portable ne s'**allume** plus.
Je **dois** aller me coucher sans trouver de solution et je **me demande** comment me
réveiller le matin sans alarme...

Semaine 2 Un matin, quand je **monte** dans le bus, je **réalise** une chose : tout le
monde **passe** son temps à ne regarder que son portable mais moi, j'**ai** de la chance,
je **fais** attention au monde qui m'**entoure** ! Mais c'**est** toujours aussi difficile de ne pas
pouvoir communiquer avec mes amis !

Semaine 3 Finalement, la vie sans portable, c'**est** pas mal... Mais quand mes parents **me demandent**
ce que je voudrais pour mon anniversaire, je **pense** évidemment à un téléphone... Fin de l'expérience
le 31 mai, le jour de mes 15 ans... ☺

SEMAINE 1

Tout a commencé un dimanche soir : mon portable ne s'allumait plus ....
....
....

SEMAINE 2

....
....
....

SEMAINE 3

....
....
....

PHONÉTIQUE Les graphies des sons [e] et [ɛ]

5 **Écoute les phrases et complète avec e, er, é, ê, ai, ais, ait ou aient.**

a Je suis conn......ct...... à Int......rn......t.
b Je n'...... jam...... pass...... une sem......ne sans ......cran.
c Avant, il utilis...... son portable m......me la nuit !
d Quand ils ......t...... jeunes, nos parents n'av...... pas de smartphone !
e J'...... f......t...... la fin du d......fi ......t j'...... rallum...... ma tabl......tte !
f Arr......te d'utilis...... mon t......l......phone !

CULTURES

Lis l'article et retrouve :

a 3 mots qu'on dit obligatoirement en anglais : ....

b 2 mots anglais mal utilisés en français : ....

c 3 mots que les jeunes aiment utiliser : ....

◄ ► ⟳ 🏠 ✕ + www.lemagazine.fr 🔍

Quand la langue française parle anglais

Quel(le)s Français(es) ne prononcent jamais un mot d'anglais ? Certainement très peu de personnes ! Eh oui, il existe trois types d'anglicismes dans la langue française...

1. Les mots « obligatoires », comme « football », « sandwich » ou « week-end ». Ils sont dans le dictionnaire depuis longtemps mais parfois avec une orthographe une peu différente : « week-end », par exemple, prend un trait d'union en français.

2. Les mots critiqués, comme « parking » ou « camping ». Ce sont des créations à partir de mots anglais. Les dictionnaires recommandent donc d'employer un synonyme français à la place. « Parc » est recommandé comme traduction de « parking » qui se dit « car park » ou « parking lot » en anglais. Idem pour « camping » (le lieu), qui se dit « campsite » en anglais.

3. Les mots utilisés « parce que ça fait cool ». Ce sont les préférés des jeunes. On dit par exemple : «J'ai uploadé ma photo de profil. » Ou encore : « Je ne peux pas te parler, je suis dans le rush. Je suis hyper speed ! »

D'après *Micha Cziffra*, traducteur.

ÉDUCATION AUX MÉDIAS

a. Lis les extraits de ce « mémotice » et coche vrai ou faux.

Avec le « mémotice », pose-toi les bonnes questions pour avoir une bonne « média-attitude » !

1 Écrire sur les réseaux, c'est comme prendre un micro pour parler à la terre entière. ☐ Vrai ☐ Faux

2 J'ai 15 ans. Je peux publier sur Internet ? ☐ Vrai ☐ Faux

3 C'est mieux de rester anonyme quand je publie une vidéo sur un site de partage ? ☐ Vrai ☐ Faux

4 Si je publie un commentaire méchant sur quelqu'un, ce n'est pas grave car je peux l'effacer à tout moment. ☐ Vrai ☐ Faux

5 Je peux limiter l'accès à mon mur seulement à mes amis ? ☐ Vrai ☐ Faux

b. ②̄ **Écoute pour vérifier.**

Autoévaluation

Justifier des choix

1 ... /3

Entoure la bonne réponse.

a À cause de – Comme les – Grâce aux réseaux sociaux, on peut facilement communiquer avec des amis étrangers !

b Car – Parce que – Puisque tu aimes la vidéo, tu devrais créer une chaîne YouTube !

c Les jeunes adorent les réseaux sociaux. Comme ça – C'est pourquoi – Vu qu' ils sont accros à leur téléphone !

d Coupe le wifi le soir, donc – puisque – comme ça , tu dormiras mieux la nuit !

e Comme ça – Vu que – Alors les jeunes restent connectés tard le soir, ils sont fatigués en classe le matin !

f Parce que – Comme – C'est pourquoi je partage plein de photos avec mes amis, je passe beaucoup de temps sur les réseaux !

2 ... /3

Complète avec les mots suivants.

foule de	million d'	tas d'
centaines	plein de	innombrables

Salut ! Une vidéo, aujourd'hui, pour vous dire que ma chaîne existe depuis seulement un an et que j'ai déjà plus d'un .... abonnés ! C'est génial ! On m'a invitée à Bruxelles, à un rassemblement de youtubeurs, et j'ai rencontré une .... fans : je ne pouvais pas croire qu'ils étaient des .... à se déplacer seulement pour moi !
Merci à tous de me suivre et de m'envoyer .... likes et d'..................... commentaires sympas ! Merci de faire vivre ma chaîne et à bientôt pour des .... autres vidéos !

Donner des conseils

3 ... /4

Complète avec les verbes corrects, conjugués à l'impératif.

ne pas s'amuser	ne pas s'endormir	ne pas oublier	se différencier

a .... avec ton téléphone à côté de toi !

b .... de vérifier les informations que vous publiez !

c .... des autres si tu veux avoir plus de likes !

d .... à chatter avec des inconnus : nous pouvons avoir des problèmes !

Parler d'un changement de nos habitudes

4 ... /4

Transforme les phrases avec *n'… aucune, ni… ni, ne… que* ou *sans* + infinitif.

a Tu n'as pas pris ton téléphone ? Et ta tablette non plus ?

→ ....

b Il a passé tout l'après-midi à la maison et il n'a pas téléphoné.

→ ....

c Tu n'aimes pas une seule vidéo de ce youtubeur ?

→ ....

d Nous postons seulement des photos.

→ ....

5 ... /6

Conjugue les verbes du mail au passé composé ou à l'imparfait.

Salut Émiline,
Je suis vraiment désolée, mais je/j' .... (ne pas pouvoir) répondre à ton appel d'hier car je/j' .... (perdre) mon téléphone ! Une journée sans… Trop dur ! Quand je/j' .... (monter) dans le bus, le matin, tous les copains .... (regarder) leur portable et aucun ne .... (parler). Alors je/j' .... (vouloir) faire comme eux, mais… pas de téléphone ! Je/J' .... (chercher) partout, sans succès ! Je/J' .... (être) désespérée ! Et finalement, le soir, à l'arrêt de bus, un garçon me/m' .... (montrer) mon portable et il me/m' .... (dire) : « Je le/l' .... (voir) tomber de ton sac ce matin, mais impossible de te rattraper avant le départ du bus ! »
Ouf ! Maintenant, je peux donc t'expliquer la situation… et comme tu ne réponds pas au téléphone, j'espère que tu .... le/l' .... (ne pas perdre) toi aussi ! ☺
Leïla

Vérifie tes résultats p. 78. ... /20

APPRENDRE À APPRENDRE

Voici quelques outils pour améliorer tes connaissances en français en dehors de la classe. Classe-les par ordre de préférence, puis coche en rouge celui/ceux que tu t'engages à utiliser.

○ J'utilise des applis pour réviser les conjugaisons ou la grammaire. n°......

○ Je regarde des vidéos de youtubeurs francophones. n°......

○ Je m'inscris à un cours en ligne (mooc) pour l'apprentissage du français. n°......

○ Je surfe sur des sites francophones* comme TV5Monde, RFI, etc. n°......

○ Autre : ....

* D'autres sites que tu peux consulter : Bonjour de France, FrançaisFacile.com, etc.

Pour progresser, développe ton autonomie grâce aux outils numériques !

LEÇON 1

Décrivons l'apparence et le look

VOCABULAIRE

1 Les vêtements et les accessoires. **a Entoure dans la grille 10 noms d'accessoires, vêtements ou parties de vêtements.**

R	A	R	C	H	E	M	I	S	E
O	U	C	H	I	M	O	M	U	T
I	S	L	A	N	M	I	A	L	M
C	D	O	U	D	O	U	N	E	I
H	É	R	S	L	I	M	T	G	T
È	V	I	S	O	P	L	E	G	A
C	A	P	U	C	H	E	A	I	I
H	U	A	R	È	I	D	U	N	N
E	L	L	E	R	C	A	N	G	E
A	V	E	S	T	E	T	U	I	S

b Lesquels peut-on mettre…

1 sur la tête ? → ....
....

2 aux mains ? → ....
....

3 autour du cou ? → ....
....

4 aux pieds ? → ....
....

COMMUNICATION

2 Décrire l'apparence. **Reconstitue des expressions et complète.**

DI   ME   ONT L'   PAR   RESS   SEM

AIR   EMBLES   BLAIENT   RAIT   AÎT   VA

a Avec cette tenue, tu .... à Lady Gaga !

b Aïe, j'ai mal aux pieds ! Ces chaussures .... plus confortables !

c Quelle horreur ! On .... des fringues de ma grand-mère !

d Qu'est-ce que tu en penses ? Tu trouves que ça .... bien ?

e J'aime bien ces mitaines : elles .... très chaudes !

f Je vais essayer ce pantalon mais il .... un peu étroit !

LIRE

3 Lis et complète l'article avec les mots proposés.

coupes   chaussures   matières   marques   mode   styles

Le « hauling », en quoi ça consiste ?

Ce phénomène, venu des États-Unis, connaît beaucoup de succès chez les jeunes en France depuis quelques années. Le concept est simple : grâce à une webcam, les blogueurs et blogueuses montrent leurs derniers achats : vêtements, ..., accessoires, ... et couleurs, maquillage, ... de cheveux tendance, etc., en vidéo. Le but ? Présenter les nouveaux .... et looks à la .... et donner quelques conseils pour devenir une référence sur le Net. Car le « hauling » peut rendre populaire ! En quelques années, on a vu apparaître des centaines de milliers de « hauls » sur YouTube et certains comptent des centaines de milliers de vues !

Mais le « hauling » peut aussi être dangereux et rendre accros aux achats et aux .... ceux et celles qui le pratiquent. Mais aussi ceux et celles qui s'abonnent à ces vidéos !

Donnons des conseils sur le langage

Le subjonctif

1 Observe ces formes verbales. Souligne celles à l'indicatif et entoure celles au subjonctif.

a nous faisions
b tu prennes
c elles partent
d j'aie
e vous allez
f je parle
g elle croie
h nous devons
i elles écoutent
j ils veuillent
k vous veniez
l on sache
m tu fasses

2 Conjugue les verbes au subjonctif présent.

a Il est vraiment nécessaire que vous m' (*expliquer*) .... cette expression !

b Attention, il ne faut pas qu'on (*dire*) .... ça à des adultes !

c Il est important que le langage nous (*permettre*) .... de nous démarquer !

d Je n'ai pas besoin que tu me (*faire*) .... la traduction : j'ai compris !

e Il est indispensable que nous (*pouvoir*) .... nous comprendre !

f Il vaut mieux que j'(*écrire*) .... LOL ou MDR ?

3 Écoute et transforme, comme dans l'exemple.

VOS AVIS SUR LES EXPRESSIONS DU LANGAGE ADO

Ex. ▸ Il ne faut pas que nous les utilisions à l'écrit !

C'est important qu'on .... où et quand les utiliser !

a Il faut que ça .... à montrer qui on est !

b

PHONÉTIQUE Les graphies du son [j]

4 Lis les phrases suivantes à voix haute et entoure la/les lettres qu'on prononce [j].
Puis écoute pour vérifier.

a Il vaut mieux que vous utilisiez des expressions moins familières !

b Bastien, il faut que tu conseilles cette fille sur sa manière de s'habiller.

c Vous voyez : ce voyage en famille s'est bien mieux passé que celui de l'an dernier.

d Nous avons essayé les vêtements de ce magasin du centre-ville mais les tailles sont minuscules.

Les adjectifs et les pronoms indéfinis : *autre, certain, même*

5 Complète avec *autre, une autre, d'autres, certains, certaines, même, le même*.

a Je ne comprends pas .... mots que tu emploies !

b Il existe .... manière de dire « stylé » en langage standard ?

c Tu as fini de parler ou tu veux dire .... chose ?

d En France, tous les ados parlent .... langage ?

e Tu connais .... expressions synonymes ?

f .... ma mère emploie .... expressions du langage ado !

Parlons de ce qui nous influence

Les pronoms *en* et *y* COI

1 **Relie à l'/aux option(s) correcte(s).**

▸ On ne s'en souvient pas. ●
- ● 1 au nom de ce produit
- ● 2 du nom de ce produit

a Mes copines y participent. ●
- ● 1 à ce spot publicitaire
- ● 2 du concours télé

b Oui, on m'en a parlé ! ●
- ● 1 de l'actrice qui fait cette pub
- ● 2 de cette pub

c La pub nous y pousse ! ●
- ● 1 à la consommation
- ● 2 à consommer toujours plus

d J'en rêve ! ●
- ● 1 à cette crème magique
- ● 2 de pouvoir m'acheter tout ce que je veux

e Nous nous en occupons. ●
- ● 1 de vous
- ● 2 de commander ce produit sur Internet

2 **Coche la bonne réponse. Puis écris la structure de chaque verbe.**

▸ Nooon ! Je n'☐ *en* / ☑ *y* crois pas ! → **croire** à quelque chose

a Oui ! J'☐ *en* / ☐ *y* pense ! → .... quelque chose

b Prends-le : je ne m'☐ *en* / ☐ *y* sers pas ! → se .... quelque chose

c Tu ☐ *en* / ☐ *y* as envie ? → avoir .... quelque chose

d De vos conseils, on n'☐ *en* / ☐ *y* a pas besoin ! → avoir .... quelque chose

e Oui, nous nous ☐ *en* / ☐ *y* intéressons ! → s'..................... quelque chose

f Non, on n'☐ *en* / ☐ *y* fait pas attention ! → faire .... quelque chose

g Vous ☐ *en* / ☐ *y* réfléchissez, d'accord ? → .... quelque chose

La place des adjectifs

3 Complète avec l'adjectif correct.

a *idéal / nouveau*

Hum… Et ça, c'est ton .... look ?

b *américaine / bonne*

C'est quoi, la marque de tes baskets ? C'est une .... marque ?

c *excellente / grande*

Waouh ! C'est vraiment une affiche .... !

d *géniale / jolie*

Regarde : j'ai vu une .... pub sur Internet !

e *meilleur / préféré*

Ça, c'est mon logo .... !

f *célèbre / connu*

Mais si, c'est un .... slogan ! C'est comment, déjà ?

4 Écris le bon slogan sur chaque publicité.

a

Peaulisse

La .... :
votre ....
de la journée !

b

Chocoplus,
le ....
qui vous fera ressentir
des .... !

c

Envie d'avoir ton .... ?

BankAdo

Une .... d'économiser
jusqu'à ton .... !
Penses-y la ....
que tu voudras ouvrir un compte !

crème magique	
magique crème	
geste premier	
premier geste	

chocolaté dessert seul	
dessert chocolaté seul	
seul dessert chocolaté	
extrêmes sensations	
sensations extrêmes	

compte propre	propre compte
bonne manière	manière bonne
dernier euro	euro dernier
fois prochaine	prochaine fois

CULTURES

Tee-shirt de Christian Lacroix pour EJF

Lis l'article. Coche vrai ou faux.

Pourquoi une mode éthique et responsable ?

La production de textiles est une des industries les plus polluantes ; la culture du coton, par exemple, qui représente seulement 2,5 % des terres cultivées, utilise 28 % des pesticides[1] employés dans le monde. Cette situation provoque de graves problèmes pour l'environnement mais a aussi des conséquences sur la santé des personnes. Plus d'un million d'enfants – certains n'ont pas plus de 5 ans ! – sont obligés de travailler dans les champs[2] de coton plus de 12 heures par jour, dans des conditions souvent inhumaines, et ne peuvent pas aller à l'école.

Souvent, les consommateurs ne sont pas conscients de la destruction environnementale causée par la production du coton, ni de ses conséquences sur la pauvreté et le travail des enfants. Certaines associations humanitaires pensent qu'il est important que les consommateurs sachent d'où vient le coton qu'ils achètent ; elles organisent ainsi des campagnes[3] avec l'aide de couturiers internationalement connus, comme par exemple le Français Christian Lacroix qui a créé des tee-shirts pour EJF (« Environmental Justice Foundation ») sur le thème de l'enfance.

a Dans le monde, la culture du coton occupe beaucoup de terres. ☐ V ☐ F

b La culture du coton a des conséquences négatives sur l'environnement. ☐ V ☐ F

c Les enfants qui travaillent dans les champs de coton vont aussi à l'école. ☐ V ☐ F

d Certains couturiers font des actions pour permettre aux consommateurs de connaître l'origine du coton qu'ils achètent. ☐ V ☐ F

1 produits chimiques
2 surface de terre réservée à la culture
3 événements, manifestations

ARTS PLASTIQUES

Lis l'article et réponds.

COULEURS ET MODE : Christian Lacroix

« Quand j'étais enfant, mon expérience de la couleur était purement gustative[1]. Je buvais directement la couleur déposée en couleur liquide rouge, jaune ou bleue dans les petits gobelets[2] distribués par les institutrices[3] de l'école maternelle », déclare Christian Lacroix.

Au début de son activité de couturier, il montre cet amour pour les couleurs explosives : le rouge (la couleur préférée de sa mère) et le noir, associées au turquoise et au rose buvard[4]. Plus tard, il préfèrera des couleurs plus douces comme les champagne, les gris éteints[5], les verts sombres.

1 relative au goût – 2 verres – 3 professeures – 4 papier absorbant utilisé à l'école – 5 contraire de vifs

a. Que faisait Christian Lacroix quand il était enfant ?

....

b. Quand il a commencé à travailler comme couturier, quels types de couleurs est-ce qu'il préférait ?

☐ vives ☐ éteintes ☐ foncées ☐ douces

c. Retrouve le nom des couleurs suivantes dans le texte.

1 .... 2 .... 3 .... 4 ....

5 .... 6 .... 7 ....

Autoévaluation

Décrire l'apparence et le look

1   ... /4

Coche la/les bonne(s) réponse(s).

a Regarde Théo ! Il ☐ *ressemble* / ☐ *semble* plus stylé ces derniers temps !

b Tu as changé de look ? Tu ☐ *as l'air* / ☐ *parais* différent !

c Avec cette coupe de cheveux, ☐ *on dirait* / ☐ *il ressemble* Stromae !

d Ça ☐ *paraît* / ☐ *me va* bien, non ? Qu'est-ce que tu en penses ?

Donner des conseils sur le langage

2 🔒 5   ... /5

Écoute et transforme les phrases avec les expressions proposées.

a Il faut que vous .... de dire cette expression : elle est ringarde !

b C'est important que tu .... ce que signifie un mot avant de l'employer !

c Il vaut mieux que nous .... de mots du langage ado dans nos devoirs !

d C'est essentiel qu'on .... informés des derniers mots entrés dans le dictionnaire !

e Il est nécessaire que je .... des mots en verlan pour paraître plus cool ?

3   ... /5

Complète ce blog avec les indéfinis.

| une autre | d'autres (x2) | autres | certains | certaines | même (x2) | la même (x2) |

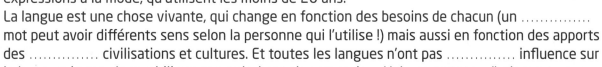

Le langage des jeunes et des ados aujourd'hui

Écrit par Ariane

Comme tous les trimestres, je vous propose une liste de ....
expressions à la mode, qu'utilisent les moins de 20 ans.

La langue est une chose vivante, qui change en fonction des besoins de chacun (un ....
mot peut avoir différents sens selon la personne qui l'utilise !) mais aussi en fonction des apports
des .... civilisations et cultures. Et toutes les langues n'ont pas .... influence sur
le langage jeune ; le swahili par exemple (rappelez-vous de « Hakuna matata » !) n'apporte pas
.... quantité de mots au langage des jeunes Français que l'anglais et l'arabe du Maghreb.
Ah... et rappelez-vous aussi que tous les ados n'emploient pas ces mots tout le temps : ....
adoptent seulement quelques mots de cette liste et .... ne les utilisent .... pas
du tout !

Et vous êtes bien sûr invités à compléter ma liste et à proposer .... mots ou expressions
du langage des jeunes que j'ajouterai dans .... édition de ce blog.

Parler de ce qui nous influence

4 ... /4

Complète le dialogue avec *en* ou *y*.

– Tu as vu cette pub ? On pourrait acheter ça à Chloé, pour son anniversaire !

– Le cadeau de Chloé ? Je n'...... ai pas encore réfléchi ! C'est dans un mois !

– Si tu veux, je m'...... occupe mais regarde cette pub et dis-moi ce que tu ...... penses !

– Tu sais, les pubs, je ne m'...... intéresse pas trop ! Et tous ces accessoires qui te changent la vie, moi, je n'...... crois pas du tout !

– Eh ben moi, j'aimerais bien en avoir un ! J'...... rêve depuis longtemps !

– Mais à chaque fois que tu t'achètes un truc comme ça, après tu ne t'...... sers pas ! Tu te souviens de tes dernières mitaines ?

– Quelles mitaines ? Non, je ne m'...... souviens pas !

– Ben tu vois !

5 ... /2

Transforme les phrases avec les adjectifs proposés placés au bon endroit.

a Tu connais cette marque ?

étrangère → Tu connais .... ?

b Je trouve que c'est la publicité de l'année !

meilleure → Je trouve que c'est .... !

c Je m'en souviens parce que c'est un slogan !

efficace → Je m'en souviens parce que c'est .... !

d Ils ne présentent pas seulement des produits.

bons → Ils ne présentent pas seulement ....

Vérifie tes résultats p. 78. ... /20

APPRENDRE À APPRENDRE

a. ⑥ Écoute Louise, Pablo, Étienne, Anna et Baptiste puis réponds. Qui...

1. lit des livres en « français facile » ? → ....

2. écoute des livres enregistrés ? → ....

3. abandonne ses livres dans un lieu du collège ? → ....

4. participe à des échanges de livres dans la classe ? → ....

5. est abonné(e) à deux publications ? → ....

b. Et toi ? Laquelle des idées suggérées par ces ados...

- pratiques-tu déjà ? Pourquoi ? → ....

- vas-tu adopter à partir de maintenant ? Justifie. → ....

....

Pour améliorer ton français, trouve des moyens de varier tes lectures !

LEÇON 1
Parlons de nos succès et de nos réussites

VOCABULAIRE

1 Les succès et les réussites, le sport (1). **Complète.**

a Louis participe à des C☐☐M☐☐☐☐☐☐T☐ nationaux et il est ☐L☐S☐É.

b Max est arrivé premier, c'est donc lui, le ☐☐☐N☐Q☐☐☐R !

c Naïma est montée sur le P☐☐☐☐M car elle gagné le premier ☐☐☐X.

d Noé aime se D☐☐☐S☐S☐R, réaliser des P☐☐F☐M☐☐☐☐S et veut battre des ☐☐C☐☐☐S ! Il a vraiment l'esprit de C☐☐P☐☐T☐☐☐ !

e Anouk a des T☐☐☐☐TS ☐X☐☐☐O☐D☐☐☐☐☐☐☐S mais elle É☐H☐☐☐ souvent aux examens à cause du stress…

COMMUNICATION

2 Comparer. **Associe pour former des phrases correctes.**

a Plus on perd, ● ● 1 comme tous les athlètes de son équipe !

b Il réalise de plus en ● ● 2 plus de performances extraordinaires !

c Pfff ! J'ai de moins en ● ● 3 moins on a confiance en soi…

d Comparé à moi, tu as bien ● ● 4 pareil que battre un record !

e Réaliser un exploit, c'est ● ● 5 plus de talents !

f Il a beaucoup de force, ● ● 6 moins envie de participer à ce concours…

ÉCOUTER

3 🎧 7 **Écoute les témoignages et réponds.**

a **À quelle question répondent les trois personnes ?**

....

b **Associe deux informations à chaque personne.**

Ronaldo
= …. et ….

Marianne
= …. et ….

Laure
= …. et ….

1 Quand il/elle était ado, la réussite, pour lui/elle, ça voulait dire remporter des victoires.

2 Ado, pour lui/elle, le succès, c'était comme une coupe qu'il fallait remplir avec de plus en plus d'argent.

3 Quand il/elle était jeune, le succès, c'était être toujours le premier / la première.

4 Maintenant, pour lui/elle, réussir, c'est mieux à plusieurs.

5 Maintenant, il/elle pense qu'une vraie victoire, c'est une victoire intérieure.

6 Maintenant pour lui/elle, le succès signifie : s'améliorer chaque jour un peu plus.

Racontons une expérience sportive

Le plus-que-parfait

1 **Souligne les causes et transforme-les au plus-que-parfait, comme dans l'exemple.**

▸ il n'a jamais gagné de championnat avant / sa victoire a surpris tout le monde

> *Sa victoire a surpris tout le monde parce qu'il n'avait jamais gagné de championnat avant.*

a j'ai arrêté la compétition / je me suis cassé une jambe pendant un match

> ....

b l'équipe n'a pas participé à la finale / les joueurs ont perdu en demi-finale

> ....

c personne n'a réussi à battre ce record avant / elle était vraiment contente de son résultat

> ....

d tu n'as pas gagné / tu ne t'es pas assez entraîné

> ....

e nous ne sommes jamais allés aux JO avant / ça a été une belle expérience pour nous

> ....

2 **Conjugue au passé composé ou au plus-que-parfait.**

a Quelle .... (*être*) votre première victoire ?

b La première fois que j'........................... (*gagner*) en finale de championnat, c'était en 2015. Mon équipe .... (*ne jamais participer*) à un tournoi international avant.

c Mais avant 2015, on vous .... (*voir déjà*), vous et votre équipe, dans des tournois juniors, non ?

d Oui, bien sûr ! Mais on .... (*ne jamais remporter*) la coupe : mon équipe était toujours deuxième !

Situer dans le temps et exprimer la durée

3 Complète avec *depuis (que/qu')* ou *dès (que/qu')*.

a J'ai commencé à m'entraîner .... j'ai pu !

b .... il a gagné le match, il n'est plus comme avant.

c .... mon enfance, je rêve de gagner les JO. C'est maintenant une réalité !

d Tu es allé le voir tout de suite, ... la fin du match ?

e Tu m'appelleras .... tu auras les résultats de la finale, ok ?

f Il n'a rien gagné .... plus de cinq ans !

4 Transforme les phrases avec *ça fait… que*, comme dans l'exemple.

▸ Elle s'est fait mal à l'entraînement et elle ne peut plus courir depuis une semaine.
> Elle s'est fait mal à l'entraînement et ça fait une semaine qu'elle ne peut plus courir.

a Il joue au foot depuis 10 ans.

   > ....

b Je n'ai pas participé à une compèt depuis longtemps !

   > ....

c Edgar participe à ce championnat depuis trois ans mais il n'a jamais gagné.

   > ....

d Les Jeux paralympiques existent depuis combien de temps ?

   > ....

e Je pratique le même sport depuis cinq ans et je voudrais changer !

   > ....

5 Entoure la bonne réponse.

a Le navigateur François Gabart a fait le tour du monde en solitaire ▸
   pendant / en 42 jours 16 heures et 40 minutes.

b Tu as pratiqué la slackline pendant / en combien d'années ?

c Pendant / En combien de minutes est-elle capable
   de parcourir cette distance ?

d Leur équipe est restée championne du monde pendant / en plus de trois ans !

e Sergueï Bubka a détenu le record du monde de saut à la perche
   pendant / en 21 ans (de 1993 à 2014) !

f Les Français sont champions du monde de handball ▸
   pour la deuxième fois pendant / en un an ;
   après l'équipe masculine, l'équipe féminine !

Parlons de nos talents

Les pronoms interrogatifs *lequel, laquelle, lesquel(le)s*

1 **Que peuvent remplacer les pronoms interrogatifs dans ces phrases ? Associe.**

a Lequel n'a pas aimé ton projet ? ●   ● 1 un record

b Laquelle as-tu remportée plusieurs fois ? ●   ● 2 des sportifs

c Lesquels n'ont jamais gagné le premier prix ? ●   ● 3 une course

d Lequel a été le plus difficile à battre ? ●   ● 4 un membre du jury

e Lesquelles sont, pour toi, un modèle de réussite ? ●   ● 5 un championnat

f Lequel as-tu déjà regardé à la télé ? ●   ● 6 des championnes

2 **Transforme avec des pronoms interrogatifs pour éviter les répétitions.**

▸ Tu es fan de nombreux sportifs, mais <u>quel sportif</u> admires-tu le plus ?

   > Tu es fan de nombreux sportifs, mais **lequel** admires-tu le plus ?

a Parmi les trois candidates, quelle candidate a remporté le concours ?

   > ....

b Il a beaucoup de talents, mais quels talents a-t-il déjà montrés aux autres ?

   > ....

c Les finalistes sont tous les deux exceptionnels ! Je ne sais pas quel finaliste je préfère !

   > ....

d Vous avez imaginé des inventions très intéressantes ! Difficile de dire quelles inventions
   on va récompenser !

   > ....

e Je rêve de devenir célèbre pour une création ! Tu veux savoir quelle création ?

   > ....

PHONÉTIQUE Le -*t*- euphonique

3 🎧 **Transforme les questions, comme dans l'exemple. Ajoute un -*t*- euphonique
si nécessaire. Puis écoute pour vérifier.**

▸ Combien de prix ils ont gagnés ?

   > Combien de prix ont-ils gagnés ?

a Pour quel candidat elle a voté ? > ....

b Ils vont participer au concours ? > ....

c Il est déjà passé devant le jury ? > ....

d Il aura une chance gagner ? > ....

e Elle parle souvent de son échec au concours ? > ....

Le discours indirect

4 Complète avec *si, ce que, de, que, qui* ou *où*.

a Tout le monde dit .... le lauréat a un talent exceptionnel.

b Elles voudraient savoir .... va gagner le premier prix.

c On me conseille .... ne pas participer.

d Il nous demande .... se passe la remise des prix.

e Vous demandez .... vous pouvez participer.

f Il me demande .... je vais faire après la finale.

5 Choisis un verbe introducteur qui convient puis rapporte les paroles de ces ados.

| se demander | conseiller | raconter | vouloir savoir | expliquer |

a

Entraîne-toi tous les jours pour être le meilleur !

→ Elle me ....
....
....

b

Est-ce que mon projet va attirer l'attention du jury ?

→ Il ....
....
....

c

Pour participer au concours, il faut s'inscrire avant le 22 septembre.

→ Elle ....
....
....

d

J'ai toujours aimé la musique et j'ai commencé à jouer du violon dès l'âge de 4 ans.

→ Il ....
....
....

e

Qu'est-ce qu'il a gagné comme prix ?

→ Elle ....
....
....

CULTURES

Lis l'article.

LE GRAND PRIX SPORT ET LITTÉRATURE

Chaque année, depuis 1943, l'Association des écrivains sportifs décerne[1] le **Grand Prix Sport et Littérature** à une œuvre littéraire écrite en langue française. Le lauréat est choisi pour ses qualités littéraires et son originalité ; il doit favoriser[2] la popularité du sport.

Le premier à recevoir le prix en 1943 a été Frison-Roche, pour son roman *Premier de cordée*. Cette fiction raconte l'histoire d'un garçon qui part à la recherche du corps de son père, mort dans une expédition en montagne. Autre grand écrivain lauréat de ce prix : Jean Echenoz, en 2008, pour son roman *Courir*. Il s'agit d'une biographie romancée du Tchécoslovaque Emil Zátopek, l'un des plus grands coureurs de tous les temps, connu pour ses victoires successives au 10 000 mètres, au 5 000 mètres et au marathon, aux Jeux olympiques d'Helsinki de 1940.

En 2017, c'est Élie Robert-Nicoud qui a reçu le **Grand Prix Sport et Littérature** pour son ouvrage *Scènes de boxe*. Fils d'un boxeur qui lui a toujours refusé l'accès aux rings, l'auteur fait le portrait d'un boxeur type et de son univers. C'est à la fois un essai, une biographie et une autobiographie.

1 donner
2 aider, permettre

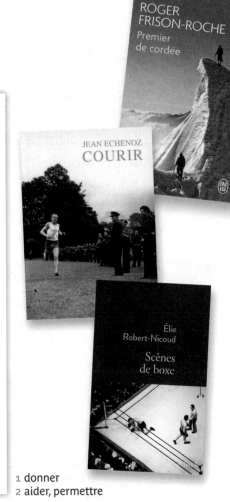

a Retrouve le nom...

1 de l'association organisatrice du Grand Prix Sport et Littérature : ....

2 de trois écrivains qui ont reçu ce prix : ....

3 des trois sports cités dans les romans de ces écrivains : ....

b Associe chaque roman cité dans l'article à une des définitions suivantes.

1 Le personnage principal est un grand athlète, il a vraiment existé : ....

2 L'auteur du livre parle d'un sport que son père a beaucoup pratiqué : ....

3 Le personnage principal recherche son père mort en montagne : ....

LITTÉRATURE

Associe les genres littéraires à leur définition.

Une biographie ●	● Œuvre de réflexion sur un sujet
Une autobiographie ●	● Récit inventé
Une biographie romancée ●	● Récit de la vie d'une personne qui a existé, mais avec des éléments inventés
Un essai ●	● Récit de la vie d'une personne fait par elle-même
Un roman de fiction ●	● Récit de la vie d'une personne qui a existé

Autoévaluation

Parler de ses succès et de ses réussites

1 ... /5

Complète les 5 phrases avec une étiquette de chaque couleur.

| comme | plus | comparé | | je stresse. | que dans la mienne. |

| moins en moins | pareil | les grands sportifs. | aux autres joueurs. | de succès. |

a Plus la date de la finale approche, ...

b Il a de ....

c Dans ton équipe, c'est ....

d Il est beaucoup plus fort, ...

e Je rêve de monter sur un podium, ...

Raconter une expérience sportive

2 ... /4

Complète avec les mots suivants.

depuis) (depuis qu') (en) (pendant) (dès) (plus tôt) (la veille) (le lendemain)

a Nous avons fait la traversée .... 7 jours, 18 heures et 56 minutes.

b .... il a gagné la coupe, il a des centaines de fans sur son blog.

c Ils ont fêté leur victoire .... de la finale, avec leurs amis et leur famille.

d .... du match, j'étais vraiment stressée car j'avais peur de perdre !

e Je suis tombée à l'entraînement et j'ai eu mal au pied .... quelques jours.

f Maintenant, il détient le record que son frère avait battu un an ....

g .... le début de l'épreuve, j'ai senti que j'allais gagner.

h .... sa victoire aux qualifications, il s'entraîne beaucoup.

3 ... /4

Complète la biographie avec les auxiliaires *être* ou *avoir* au présent ou à l'imparfait pour former le passé composé ou le plus-que-parfait.

Teddy Riner : Champion toutes catégories

1989 : Teddy Riner .... né le 7 avril, en Guadeloupe.

2007 : Il .... devenu le plus jeune champion du monde de judo. On ....
commencé à parler de lui l'année précédente pour son titre de champion d'Europe junior.

2010 : Mauvaise année : il n'............. pas remporté le titre toutes catégories aux
championnats de Tokyo. C'est sa deuxième défaite car il .... aussi perdu la
compétition poids lourds des JO deux ans avant.

2016 : Il .... gagné la médaille d'or aux JO de Rio. Une médaille qu'il .... déjà
gagnée à Londres, quatre ans plus tôt.

2018 : Il .... remporté son dixième titre de champion du monde
(catégorie des plus de 100 kg). Un record !

Parler de ses talents

4 .../4

Transforme avec des questions formelles au style direct et *lequel, laquelle, lesquel(le)s*.

▸ Il veut savoir quel prix j'ai remporté.   > Lequel <u>as-tu</u> remporté ?

a Ils se demandent quels sports elle pratique depuis son enfance.

→ ....

b Elle voudrait savoir quelles candidates ils choisiront.

→ ....

c Le journaliste demande au gagnant quelle victoire a été la plus importante pour lui.

→ ....

d On me demande quel projet il a présenté.

→ ....

5 🎧9 .../3

Écoute et rapporte les paroles de ces ados au style indirect. Utilise les verbes donnés.

a Elsa demande à son ami ....

b Hadrien demande à Max ....

c Naïma se demande ....

d Gaspard conseille à Yamina ....

e Héloïse dit à Mathieu ....

f Loïc demande au champion ....

Vérifie tes résultats p. 78. .../20

APPRENDRE À APPRENDRE

a. 🎧10 Écoute ces ados présenter les défis qu'ils se sont lancés. Relie et complète.

Le défi de groupe ●   ● ado 1 → défi = ...
La technique de la chaîne ●   ....
Le défi des trente jours ●   ● ado 2 → défi = ...
           ....
           ● ado 3 → défi = ...
           ....

b. À quel défi correspond cette image ? ....

c. Et toi, quel défi aimerais-tu relever ? ....

Pour progresser, lance-toi des défis !

1 Échangeons des opinions

VOCABULAIRE

1 La solidarité, les causes à défendre. **Associe pour retrouver huit causes à défendre. Puis attribue quatre de ces causes aux photos correspondantes.**

accueillir   bâtir   limiter   lutter contre la   militer contre les

permettre   protéger   trouver

l'accessibilité à tous   des hôpitaux   inégalités   maltraitance animale

la nature   le réchauffement climatique   des réfugiés   des remèdes

....

....

 a  b  c  d

COMMUNICATION

2 Demander l'opinion de quelqu'un, donner son opinion. **Complète avec les expressions suivantes.**

avis   ne crois pas   qu'en   selon   toi   trouve

a À ton ...., que faire pour résoudre le problème de la faim dans le monde ?

b D'après ...., comment aider les personnes en situation de handicap ?

c Je .... qu'on ne fait pas tout notre possible, ... pensez-vous ?

d .... moi, c'est impossible de trouver des remèdes contre ces maladies.

e Malheureusement, je .... qu'on puisse nourrir toute la planète !

PHONÉTIQUE La prononciation de *je* en français familier

3 a ⑪ **Écoute et coche la prononciation que tu entends.**

1 Moi, ☐ *je* / ☐ *ch'* crois que j'irai à la manifestation contre la pauvreté.

2 ☐ *Je* / ☐ *Ch'* sais pas ! C'est à quelle heure ?

3 ☐ *Je* / ☐ *Ch'* trouve que c'est un bon moyen de faire changer les choses !

4 ☐ *Je* / ☐ *Ch'* pense que ça sert pas à grand-chose !

5 Moi, ☐ *je* / ☐ *ch'* participe toujours à ce genre de manifestation !

6 Moi, ☐ *je* / ☐ *ch'* préfère aller à l'association, samedi.

7 ☐ *Je* / ☐ *Ch'* suis responsable d'un groupe d'enfants.

b ⑫ **Prononce les phrases de l'activité a en français standard et en français familier. Puis écoute pour vérifier.**

2 Présentons une initiative originale

L'accord du participe passé

1 **Souligne les COD, puis conjugue les verbes au passé composé. (Attention aux accords des participes passés !)**

a Les deux euros que nous .... (*donner*) serviront à quoi ?

b Les flashmobs, vous les .... (*préparer*) longtemps à l'avance ?

c Il .... (*liker*) quels mannequin challenges ?

d Quels projets tu .... (*aimer*) ?

e Lesquels vous .... (*organiser*) ?

f Notre marche solidaire .... (*obtenir*) beaucoup de vues sur Internet !

2 **Accorde le participe passé, si nécessaire.**

1 a. Vous avez fait… une chorégraphie très originale.

　 b. La chorégraphie que vous avez fait… est très originale !

2 a. Cette école, ils l'ont construit… avec les fonds récoltés par notre association.

　 b. Ils ont construit… cette école avec les fonds récoltés par notre association.

3 a. Vous avez découvert… quelles initiatives sur Internet ?

　 b. Quelles initiatives vous avez découvert… sur Internet ?

4 a. Cette idée que tu as eu… pour aider les réfugiés est géniale !

　 b. Tu as eu… une idée géniale pour aider les réfugiés !

5 a. C'est toi le gagnant du challenge de poésies ? Lesquelles tu as écrit… ?

　 b. C'est toi le gagnant du challenge de poésies ? Tu as écrit… lesquelles ?

6 a. Vos vidéos, vous les avez toutes mis… sur Internet ?

　 b. Vous avez mis… toutes vos vidéos sur Internet ?

3 🔊13 **Lis à voix haute les participes passés** a **et** b **de l'activité 2 et coche. Puis écoute pour vérifier.**

	1	2	3	4	5	6
Prononciation a et b identique						
Prononciation a et b différente						

4 **Coche la réponse correcte.**

a Ces initiatives, je les ai ☐ *vu* / ☐ *vues* sur le site de « jeunes bénévoles ».

b J'adore la cupsong qu'on a ☐ *créé* / ☐ *créée* dans notre classe !

c Tu sais quels établissements ont ☐ *organisé* / ☐ *organisés* une course contre la faim ?

d À quoi vont servir les fonds que vous avez ☐ *récolté* / ☐ *récoltés* ?

e Avec votre lycée, à quelle épreuve sportive vous avez ☐ *participé* / ☐ *participée* ?

f Combien de kilomètres elle a ☐ *couru* / ☐ *courus* pour la « course contre la faim » ?

g Finalement, votre collecte de jouets s'est bien ☐ *passé* / ☐ *passée* ?

h Quels « mannequin challenges » tu as ☐ *préféré* / ☐ *préférés* ?

Exprimer le but

5 **Complète les expressions du but avec les mots suivants. Puis relie pour former des phrases correctes.**

de   objectif   que   afin   but   pour

a On doit bien s'entraîner pour .... ●   ● 1 récolter le maximum de fonds.

b On fait une cupsong dans le .... ●   ● 2 aider des personnes défavorisées.

c Notre initiative a .... d' ●   ● 3 il obtienne encore plus de vues !

d Likez tous notre flashmob .... qu' ●   ● 4 notre chorégraphie soit parfaite !

6 **Transforme les phrases suivantes avec l'expression du but proposée.**

▸ Je vais aider à distribuer des repas. Je me rendrai utile. (*pour*)
> Je vais aider à distribuer des repas pour me rendre utile.

a On va organiser une marche. On luttera pour la protection de l'environnement. (*dans le but de*)
> ....

b Nous collectons des fonds. Les personnes défavorisées pourront avoir un logement. (*pour que*)
> ....

c Je regarde des vidéos sur Internet. Je trouverai des idées pour notre mannequin challenge. (*afin de*)
> ....

d Nous faisons des manifestations partout en France. Nous voulons mobiliser le plus de gens possible. (*L'objectif, c'est de*)
> ....

e On veut avoir beaucoup de vues sur YouTube. Des milliers de gens nous connaîtront. (*afin que*)
> ....

Faisons des suggestions et des hypothèses

Le conditionnel présent

1 🔊 **14** **Écoute et coche la case correspondante.**

J'entends un verbe…	a	b	c	d	e	f	g	h
à l'imparfait								
au futur								
au conditionnel présent								

2 **a Conjugue les verbes proposés au conditionnel présent.**

1 Tu (*aimer*) .... être président de ton pays ?

2 Pourquoi vous ne (*se présenter*) .... pas au Conseil des Jeunes ?

3 Nous (*vouloir*) .... nous rendre utiles. Que faire ?

4 On (*devoir*) .... s'inscrire à la commission « solidarité » !

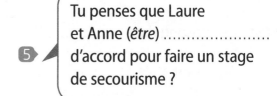

5 Tu penses que Laure et Anne (*être*) .... d'accord pour faire un stage de secourisme ?

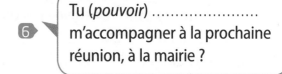

6 Tu (*pouvoir*) .... m'accompagner à la prochaine réunion, à la mairie ?

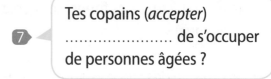

7 Tes copains (*accepter*) .... de s'occuper de personnes âgées ?

b Réponds. Quelles phrases expriment…

- une suggestion ou un conseil ? → ....
- un fait imaginaire ? → ....
- une demande polie ? → ....
- un souhait ? → ....

Faire des hypothèses irréelles

3 Mets les mots dans l'ordre pour reconstituer les phrases.

a de – école – éducation, – étais – j' – l' – l' – ministre – ne – obligatoire. – pas – serait – Si

> ....
....

b aurait – avais – dans – de – des – été – il – j' – la – les – maire, – jardins – Si – skate-parks – tous – ville. – y

> ....
....

c alimentaire – au – collecte – dans – demandait – directeur. – notre – la – lycée – On – on – organiser – permission – pourrait – une – si

> ....
....

4 Complète les phrases avec les expressions proposées. Puis conjugue les verbes au conditionnel présent, à l'imparfait ou au plus-que-parfait.

vouloir faire partie du Conseil de Jeunes

savoir qu'on va organiser une course solidaire

organiser une « pyramide de chaussures »

consommer des produits du commerce équitable

faire un jardin urbain entre voisins

CULTIVONS LA VILLE

a Si le maire nous donnait l'autorisation, on ....
....
....

PYRAMIDE DE CHAUSSURES

b Si le lycée était d'accord, nous ....
....
....
pour les victimes de guerre.

LE GRAND DEFI COURSE SOLIDAIRE

c Tu ....
....
....
si tu étais venu à la réunion !

DIMANCHE 5 JUIN

CONSEIL DES JEUNES Mulhouse

d Vous participeriez aux projets de la ville si vous ....
....
.... !
Mais maintenant c'est trop tard !

D'OÙ VIENNENT MES PRODUITS ? COMMERCE ÉQUITABLE

e Le monde serait plus solidaire et durable si on ....
....
....

CULTURES

a 🔊₁₅ **É**coute et coche la/les bonne(s) réponse(s). Attention, dans une des phrases, aucune des réponses n'est correcte !

1 Le Service Civique, c'est un engagement ☐ *volontaire* / ☐ *obligatoire*.

2 Quand on est en situation de handicap, on ☐ *peut* / ☐ *ne peut pas* faire le Service Civique.

3 On peut s'engager jusqu'à ☐ *16* / ☐ *25* / ☐ *30* ans.

4 On est payés ☐ *80 euros par semaine* / ☐ *580 euros par mois* / ☐ *5 580 euros pour toute la durée du Service Civique*.

5 Le Service Civique peut durer ☐ *6* / ☐ *12* mois.

6 On peut le faire ☐ *seulement en France* / ☐ *en France* / ☐ *en dehors de la France*.

7 On s'engage à travailler 24 heures par ☐ *jour* / ☐ *semaine* / ☐ *mois*.

8 On peut faire le Service Civique et ☐ *étudier* / ☐ *travailler* en même temps.

b 🔊₁₅ **R**éécoute et observe les domaines d'action. Complète ceux qui manquent.

SERVICE CIVIQUE
Une mission pour chacun au service de tous

9 DOMAINES D'ACTION

.... | SANTÉ | ÉDUCATION POUR TOUS | .... | SPORT | ENVIRONNEMENT | MÉMOIRE & CITOYENNETÉ | INTERVENTION D'URGENCE EN CAS DE CRISE | DÉVELOPPEMENT INTERNATIONNAL & ACTION HUMANITAIRE

HISTOIRE

Lis le texte et complète le tableau.

Les pouvoirs politiques en France

Le pouvoir exécutif : Il se charge d'administrer la politique. Il est partagé entre le président de la République et le gouvernement qui est dirigé par le Premier ministre. Tous les 5 ans, les citoyennes et citoyens français en âge de voter élisent un chef de l'État : le président de la République. Celui-ci nomme alors un chef du gouvernement, le Premier ministre, qui propose les autres membres du gouvernement : les ministres.

Le pouvoir législatif : Il se charge de voter les lois. Il est exercé par le Parlement, formé par l'Assemblée nationale (qui compte 577 députés) et le Sénat (qui compte 348 sénateurs).

Le pouvoir judiciaire : Il se charge de contrôler l'application des lois. Il est formé par des juges[1] et des magistrats[1].

1 Personnes chargées d'appliquer la justice et de faire respecter la loi

(Parlement) (législatif) (chef de l'État) (chef du gouvernement) (judiciaire) (Assemblée Nationale)

Les pouvoirs politiques				
Le pouvoir exécutif		**Le pouvoir ....**		**Le pouvoir ....**
Président de la République (= ....)	Gouvernement		....	Juges, magistrats
	Premier ministre (= ....)	Ministres	....	Sénat	

Autoévaluation

Échanger des opinions

1 ... /4

Complète l'affiche avec les mots proposés.

accompagner

environnement

handicap

intergénérationnel

maltraitance

réchauffement

secourir

sensibiliser

VOUS AVEZ LE CHOIX ENTRE DE TRÈS NOMBREUSES MISSIONS

SERVICE CIVIQUE
Une mission pour chacun au service de tous

→ [................. les animaux victimes de ....]

→ [développer le lien ....]

→ [................. des personnes en situation de ....]

→ [................. les générations futures au .... climatique]

→ [protéger l'.................]

2 ... /3

Complète les phrases avec une expression différente à chaque fois pour demander ou donner son opinion.

a .... vous, quelle est la cause la plus urgente à défendre ?

b ...., je trouve qu'on fait rien pour lutter contre la maltraitance animale !

c .... l'aide aux réfugiés ? Elle vous semble efficace ?

d À ton ...., comment peut-on venir en aide aux personnes âgées ?

e .... activités culturelles organisées par la ville ? Elles te plaisent ?

f .... toi, que peut-on faire pour sensibiliser les gens à l'action humanitaire ?

Présenter une initiative originale

3 ... /6

Complète pour accorder ou non les participes passés.

 -Ø -e -s -es

a Cette école, on l'a bâti... avec l'argent de l'ONG.

b Quels projets solidaires ils ont organisé... cette année ?

c Vous avez collecté... beaucoup de fonds avec votre œuvre musicale ?

d Tu les as vu... où, les vidéos de notre cupsong ?

e Tous tes copains sont allé... à la journée de « Handicap International » ?

f Combien de vues vous avez obtenu... avec votre flashmob ?

4   ... /3

Complète avec une expression du but.

> a) Notre association collecte des fonds .... ceux qui n'ont plus rien puissent avoir un peu d'aide.

> b) La marche que nous allons organiser .... de sensibiliser au droit à l'éducation.

> c) La ville va construire de nouveaux logements .... d'accueillir un maximum de personnes en difficulté.

Faire des suggestions et des hypothèses

5   ... /4

Formule des hypothèses irréelles avec les éléments donnés. Puis conjugue les verbes au conditionnel présent, à l'imparfait ou au plus-que-parfait.

▸ l'association – ne pas réaliser cette course / on – ne pas avoir de fonds pour aider les réfugiés.
  > Si l'association n'avait pas réalisé / ne réalisait pas cette course, on n'aurait pas de fonds pour aider les réfugiés.

a on – proposer un stage de secourisme / vous – vouloir vous inscrire ?
  > ....

b nous – faire une collecte de vêtements / nous – pouvoir donner l'argent aux Restaurants du Cœur.
  > ....

c tu – être maire / tu – changer quoi en premier ?
  > ....

d la ville – ne pas faire ces travaux / les personnes en situation de handicap – ne pas se déplacer librement, maintenant.
  > ....

Vérifie tes résultats p. 79.   ... /20

APPRENDRE À APPRENDRE

a. **Écoute ces témoignages et complète.**

Quel témoignage évoque la mémoire...

1. du goût ? → Témoignage ......
2. du toucher ? → Témoignage ......
3. de l'odorat ? → Témoignage ......
4. de l'ouïe ? → Témoignage ......

b. **Et toi ? Quelle technique aimerais-tu essayer ?**

....

....

  Pour mieux mémoriser, aide-toi de tes sens et de tes émotions.

LEÇON 1

Présentons des inventions

VOCABULAIRE

1 🔒17 Les inventions, le progrès, l'utilité. **Écoute les devinettes et associe-les aux dessins. Puis complète les légendes.**

1   **2**   **3**   **4**

devinette : ......   devinette : ......   devinette : ......   devinette : ......

un ....   les ....   des ....   une ....

COMMUNICATION

2 Exprimer l'étonnement, la surprise. **Relie pour former des expressions.**

| J'en | J'y | Tu es | Ça | Tu | Ça me |

| sérieux ? | crois pas ! | rigoles ? | alors ! | surprend ! | reviens pas ! |

LIRE

3 **Lis l'article et coche la/les bonne(s) réponse(s).**

a L'article présente des inventions actuelles.   ☐ Vrai   ☐ Faux

b Il cite une invention considérée indispensable aujourd'hui.   ☐ Vrai   ☐ Faux

c Avant, c'était plus facile d'inventer des objets que maintenant.   ☐ Vrai   ☐ Faux

d Les trois objets illustrés sont   ☐ très utiles.   ☐ superflus.   ☐ bizarres.   ☐ étonnants.

Des inventions incroyables venues du passé

Entre les années 1920 et 1940, de nombreuses inventions ont vu le jour[1]. Les plus farfelues n'ont pas réussi à s'imposer[2], mais d'autres comme le GPS (inventé en 1932) font maintenant partie de nos vies.

On a tous rêvé un jour d'inventer un objet qui contribuerait à révolutionner notre quotidien. Et grâce aux technologies, nous pouvons aujourd'hui créer tout ce qui nous passe par la tête. Mais pour ces inventions imaginées avant la deuxième Guerre Mondiale, c'était plus compliqué. Les idées ne suffisaient pas, il fallait tester l'efficacité des objets pour savoir s'ils pouvaient fonctionner et avoir une utilité dans la vie de tous les jours.

Comme vous allez le voir avec ces inventions, il ne fallait pas avoir peur d'être ridicule[3] ! On se demande vraiment ce que ces inventeurs fous voulaient prouver pour fabriquer des choses aussi inutiles et insolites ! Voici donc quelques-unes des inventions les plus surprenantes du passé. Hallucinant, non ?

Les lunettes pour lire au lit (1936)

Le chapeau radio (1931)

La protection contre les tempêtes de neige (1939)

1 sont apparues – 2 rester, trouver leur place – 3 stupide

2

Racontons une découverte

La forme passive

1 **Entoure les phrases passives** en rouge **et les phrases actives** en bleu.

▸ (Cette découverte n'a pas été faite par hasard.)

a De nombreuses inventions ont bouleversé la vie des gens.

b Cette découverte sera bientôt expérimentée par les scientifiques.

c On n'a fait aucune trouvaille intéressante ?

d Les histoires de sérendipité intéressent beaucoup de personnes.

e Leur invention a été sélectionnée par le jury du concours Lépine !

f La vraie grotte de Lascaux ne peut pas être visitée.

2 **Transforme les phrases actives de l'activité 1 en phrases passives et les phrases passives en phrases actives.**

> On n'a pas fait cette découverte par hasard.

a ....

b ....

c ....

d ....

e ....

f ....

3 **Utilise les informations suivantes pour écrire des phrases passives au passé composé.**

Blaise Pascal | inventer

La Pascaline, la première machine à calculer | en 1642

> La Pascaline, la première machine à calculer, a été inventée par Blaise Pascal en 1642.

a Louis-Sébastien Lenormand | expérimenter

le premier parachute | en 1783

> ....

....

b selon la légende | Marie Harel | créer

la première recette du camembert | en 1791

> ....

....

c

| Nicolas-Jacques Conté | imaginer et fabriquer |
| Le crayon à papier | en 1795 |

> ....
....

d

| René Laennec | découvrir | le stéthoscope | en 1819 |

> ....
....

Exprimer l'antériorité et la postériorité (avec *avant* et *après*)

4 Écris les infinitifs passés correspondant aux infinitifs. Puis complète les phrases avec la forme correcte.

▸ aller > être allé(e)(s)   faire > ....   se tromper > ....

découvrir > ....   goûter > ....   se promener > ....

a Avant de/d'............................. la grotte de Lascaux, Marcel Ravidat n'avait jamais vu de peintures préhistoriques.

b Ils ont inventé la recette sans le vouloir, après .... d'ingrédients !

c Avant de/d' .... les Carambars, je n'avais jamais mangé de bonbons aussi bons !

d Elle est devenue célèbre après .... cette découverte incroyable !

e Avant de/d'............................. visiter la grotte, vous devez savoir qu'il s'agit d'une reproduction.

f George de Mestral a eu l'idée du velcro après .... à la campagne avec son chien.

5 Transforme avec *avant de* et *après*.

▹ Les scientifiques ont fait de longues expérimentations et ils ont inventé cette machine géniale.

> Après avoir fait de longues expérimentations, les scientifiques ont inventé cette machine géniale.

> Avant d'inventer cette machine géniale, les scientifiques ont/avaient fait de longues expérimentations.

a Il a fait un long voyage, puis il est arrivé sur une île inexplorée.

> ....

> ....

b Elle a étudié les grandes théories, puis elle a décidé d'inventer ses propres machines.

> ....

> ....

c On a travaillé sur la Préhistoire, puis on a parlé de l'époque des Romains.

> ....

> ....

3 Échangeons sur des événements historiques

Les pronoms relatifs *dont* et *où*

1 Associe.

a Le jour **où** j'ai découvert l'Histoire, je m'y suis tout de suite intéressé.

b Ma tante est née l'année **où** on a marché sur la lune.

c Ils s'installaient dans des régions **où** ils pouvaient cultiver la terre.

d Ce sont des grottes **où** on peut voir des peintures préhistoriques.

e À partir du moment **où** les hommes ont su écrire, leur vie a changé.

f J'aime les musées **où** on apprend des choses sur l'histoire.

où = complément de lieu

où = complément de temps

2 Transforme en utilisant le pronom *dont*.

▸ l'invention de l'écriture est un événement historique important / on a beaucoup parlé de cet événement en classe

> L'invention de l'écriture est un événement historique important **dont** on a beaucoup parlé en classe.

a la Révolution française est un événement / les conséquences de cet événement ont été importantes pour la société

> ....

b Napoléon est un personnage / le nom de ce personnage est connu de tous

> ....

c c'est une période de l'histoire un peu particulière / on ne parle jamais de cette période

> ....

d je connais d'autres grottes / les peintures de ces autres grottes datent de la Préhistoire

> ....

e l'électricité est une invention / on ne pourrait pas se passer de cette invention

> ....

3 (18) **Complète les questions avec *où* ou *dont*. Puis, à l'aide des étiquettes, écris les réponses correspondantes. Écoute ensuite pour vérifier.**

le 19ᵉ siècle   la Révolution française   Louis Pasteur   Napoléon   la seconde guerre mondiale

HISTOIRE de SAVOIR QUESTIONS

1 Quel est l'événement .... la fin a eu lieu le 8 mai 1945.

2 Quel est le siècle .... a eu lieu la révolution industrielle ?

3 Quel est le personnage historique .... les dates de naissance et de mort sont 1769 et 1821 ?

4 Quelle est l'époque .... est mort le roi Louis XVI ?

5 Quel est le nom du scientifique .... les vaccins ont sauvé de nombreuses vies ?

HISTOIRE de SAVOIR RÉPONSES

1 ....

2 ....

3 ....

4 ....

5 ....

PHONÉTIQUE Les homophones

4 (19) **Écoute et coche l'option correcte.**

a ☐ où ☐ ou   b ☐ et ☐ est   c ☐ sont ☐ son / ☐ on ☐ ont

d ☐ c'est ☐ s'est   e ☐ à ☐ a

Exprimer l'alternative

5 **Entoure l'/les option(s) correcte(s).**

a Pour notre exposé d'histoire, on peut choisir deux époques : soit la révolution industrielle, soit | ou bien | plutôt la Révolution française.

b Au lieu d' | Plutôt | Soit aller au cinéma, tu devrais aller voir cette expo sur la Préhistoire !

c Ça s'est passé pendant la première guerre mondiale ? Ou bien | Soit | Ou alors pendant la seconde ?

d Tu préfères parler des inventions plutôt que | plutôt | ou bien des grandes découvertes ?

e Il n'aime pas vraiment l'histoire ; il s'intéresse ou alors | plutôt | au lieu d' aux grandes inventions.

f Ah bon, tu vas participer à ce concours d'inventeurs ? Et pourquoi pas au concours Lépine, plutôt | ou alors | au lieu ?

CULTURES

Écoute et complète la frise chronologique avec les étiquettes.

| vaccin contre la tuberculose | Institut Pasteur | Jean Laigret | vaccin contre la poliomyélite |

| Calmette et Guérin | vaccin contre la rage | vaccin contre l'hépatite B | Pierre Lépine |

| Pierre Tiollais | vaccin contre la fièvre jaune | Louis Pasteur | virus du sida | virus Zika |

1885
Mise au point du
....
....
par
....

1921
Premier test du
....
....
par
....

1954
Mise au point du
....
....
par
....

1983
Découverte du
....
....

2016
Recherches sur le
....
....

1887
Création de l'.....
....

1932
Mise au point du
....
par ....

1985
Mise au point du
....
par ....

CHIMIE

Lis l'article et place les mots en gras à côté de chaque photo.

Les procédés chimiques de conservation[1] des aliments

Quand on laisse des aliments exposés à l'air, une **oxydation** se produit : on observe un changement de couleur et d'aspect. Des bactéries et autres micro-organismes se développent particulièrement dans ces conditions : exposition à la lumière et à une température entre 25 et 40 degrés, présence d'eau. On peut protéger les aliments de l'oxydation, grâce à :
- un **emballage sous-vide** pour éviter l'exposition à l'air
- la **réfrigération** ou la **congélation** pour conserver par le froid
- des **produits antioxydants**, comme la vitamine C par exemple
- la **pasteurisation** ou la **stérilisation** qui consistent à exposer le produit à une température élevée pour tuer les micro-organismes.

[1] action de garder dans le même état

a la .... ou la ....

b un ....

c un ....

d l'.......................

e la .... ou la ....

Autoévaluation

Présenter des inventions

1 ... /4

Complète les expressions de l'étonnement et de la surprise avec les mots proposés.

bon alors donc en sans étonne ben sérieux

a
Eh ....
dis ...., hallucinante
cette invention !

b
Ça .... !
J'................. reviens pas !
T'es .... ?

c
Ah .... ?
Ce truc n'est pas un réveil ?
Ça m'.................. !

d
Tu participes
au concours Lépine ?
.... blague !

Raconter une découverte

2 ... /5

Conjugue les verbes aux temps donnés à la forme active ou passive.

a On .... (*fabriquer – passé composé*) cette machine pour la première fois en 1959.

b Quand ses créations .... (*exposer – futur simple*) au musée, on ira les voir !

c Ton invention .... (*sélectionner – passé composé*) par le jury du concours Lépine ?

d C'est un appareil qui .... (*faciliter – présent*) vraiment la vie quotidienne.

e Souvent ces expérimentations .... (*réaliser – imparfait*) avec peu de moyens.

3 ... /5

Complète avec les mots proposés.

avant avant de après après avoir après être

a .... faire cette découverte, il était totalement inconnu.

b Nous avons étudié la Préhistoire en classe .... allés visiter la grotte de Lascaux.

c Il a réalisé sa plus belle invention juste .... sa mort.

d J'ai découvert ce qu'était la sérendipité .... lu ce livre.

e Sa vie a complètement changé .... cette grande découverte.

Échanger sur des événements historiques

4 ... /3

Associe.

a La Préhistoire est une époque · · on se souvient comme du « siècle des Lumières ».

b Le vaccin est une découverte · · qui · · les hommes n'étaient pas sédentaires.

c Le 18ᵉ est un siècle · · qu' · · les inventions sont toutes très importantes.

d Léonard de Vinci est un scientifique · · où · · a révolutionné la médecine.

e Le concours Lépine est un concours · · dont · · on peut admirer des peintures préhistoriques.

f C'est lui qui a découvert la grotte · · on organise tous les ans depuis 1901.

5 ... /3

Reconstitue les phrases.

a Il – d' – participer – concours – Lépine, – au – concours – va – soit – autre – soit – inventeurs. – un – à

> ....

b au – il – mis – électrique. – la – pile – l' – plutôt – qu' – point – ampoule, – pense – a – que – Je

> ....

c découvert – Thomas Edison ? – Ça – Ou – être – Alfred Nobel – doit – alors – a – ça. – qui – c'est

> ....

Vérifie tes résultats p. 79. ... /20

APPRENDRE À APPRENDRE

㉑ **Observe la courbe et écoute. Coche vrai ou faux.**

Vrai Faux

a. Le « système de répétition espacée » permet de retenir des choses pendant longtemps. ☐ ☐

b. Ce système est très utile pour apprendre, par exemple, du lexique. ☐ ☐

c. On peut réviser ce qu'on a appris à tout moment, c'est toujours aussi efficace. ☐ ☐

d. Si on ne révise pas, six mois après avoir étudié une leçon, on n'en retient que 20%. ☐ ☐

e. Pour retenir 90% d'une information, on doit la revoir 10 minutes après l'avoir apprise, mais aussi 1 jour après, une semaine après, un mois après. ☐ ☐

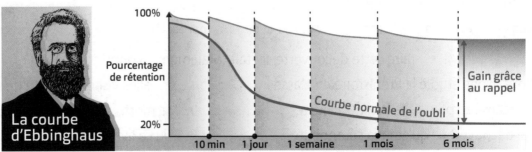

La courbe d'Ebbinghaus

Pourcentage de rétention

100%

20%

Gain grâce au rappel

Courbe normale de l'oubli

10 min   1 jour   1 semaine   1 mois   6 mois

 Pour bien mémoriser, réactive régulièrement tes connaissances !

1 Commentons l'actualité

VOCABULAIRE

1 🔒 22 Les médias (1), les actualités, les rubriques. **Entoure 10 mots en relation avec les médias. Puis écoute et associe-les aux définitions correspondantes.**

Z	R	U	B	R	I	Q	U	E	X	P
B	R	È	V	E	O	U	L	É	U	P
A	O	B	A	P	R	O	C	È	S	R
F	R	U	I	I	A	T	O	M	I	E
F	A	I	T	S	D	I	V	E	R	S
A	N	U	M	H	O	D	R	Â	O	S
I	Z	N	A	I	C	I	B	L	E	E
R	H	E	U	R	I	E	W	Q	U	I
E	P	L	S	C	A	N	D	A	L	E

1 la ....
2 un ....
3 la ....
4 une ....
5 des ....
6 un ....
7 une ....
8 un ....
9 le public ....
10 une ....

COMMUNICATION

2 Débattre. **Complète les phrases, puis classe-les dans le tableau.**

d'accord   clair   parler   quoi   raison   tort

a Eh bien nous, on n'est pas .... !
b Exactement ! Tu as .... !
c C'est .... !
d Attends, laisse-moi .... !
e N'importe .... !
f Non ! Là, tu as .... !

Pour exprimer son accord	Pour exprimer son désaccord	Pour interrompre
...... ;	...... ; ...... ;	......

ÉCOUTER

3 🔒 23 **Écoute et coche la/les bonne(s) réponse(s).**

a Éloïse ☐ *lit* / ☐ *ne lit pas* un quotidien.
b Éloïse pense que l'économie, c'est passionnant. Damien, lui ☐ *est* / ☐ *n'est pas* d'accord avec elle.
c Le journal que lit Éloïse s'adresse ☐ *à tous les âges.* / ☐ *seulement aux ados.*
d Dans le journal, on peut trouver des ☐ *faits divers* / ☐ *brèves* / ☐ *articles scientifiques* / ☐ *articles sur l'économie* / ☐ *tableaux* / ☐ *photos* / ☐ *dessins* / ☐ *mots expliqués.*
e Finalement, Damien ☐ *est* / ☐ *n'est pas* d'accord avec Éloïse : le journal ☐ *a* / ☐ *n'a pas* l'air facile à comprendre.
f Damien ☐ *aime bien s'informer sur* / ☐ *n'est pas intéressé par* les scandales et les mauvaises nouvelles.

2 Parlons des façons de s'informer

Exprimer l'opposition

1 **Complète les bulles avec les éléments proposés.**

| celle-ci, à mon avis, est mal faite ! | lui, il est toujours super informé ! | me semble trop long ! |

| très ennuyeux ! | toi, je regarde des podcasts de temps en temps. |

a Moi, je zappe toujours toutes les infos importantes tandis que ....

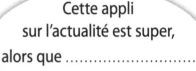

Cette appli sur l'actualité est super, alors que ....

b J'aime bien la manière de traiter l'info dans ce journal. Je trouve celui-ci, au contraire, ...

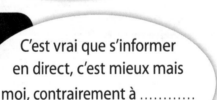

c C'est vrai que s'informer en direct, c'est mieux mais moi, contrairement à ....

e Je regarde tous les jours le mini JT ; celui de 20 heures, par contre, ...

2 **Coche la/les bonne(s) réponse(s).**

a Moi, je lis la presse écrite tous les jours, ☐ *contrairement* / ☐ *au contraire* aux élèves de ma classe, qui lisent les infos sur Internet.

b Mon frère adore les infos économiques ; moi, ☐ *alors que* / ☐ *par contre*, ça ne m'intéresse pas du tout !

c Mes parents regardent le JT tous les jours, ☐ *alors* / ☐ *tandis* que moi, je ne le regarde pas souvent ou jamais !

d Ce journal a beaucoup de photos ; celui-ci, ☐ *en revanche,* / ☐ *par contre,* n'est pas du tout illustré !

e Toi, tu lis seulement les gros titres ; moi, ☐ *au contraire,* / ☐ *tandis que,* je lis les articles en entier !

Le gérondif

3 **Transforme les verbes au gérondif.**

▸ publier : en publiant

a avoir : ....

b choisir : ....

c interdire : ....

d être : ....

e écrire : ....

f lire : ....

g faire : ....

h savoir : ....

i changer : ....

4 **Observe les photos et complète avec les éléments proposés. Conjugue les verbes au gérondif.**

▸ Il a su ce qui s'était passé en écoutant la radio.

| consulter la météo dans le journal | comparer les unes de différents journaux |

| écouter la radio | faire des recherches sur Internet | t'inscrire sur le site web |

| lire la presse locale | suivre les explications de la prof |

a Je m'informe des choses qui se passent dans ma région ....

d On a su qu'il allait pleuvoir ....

b Nous avons appris à avoir un œil critique ....

e Ils ont appris à écrire un article journalistique ....

c Vous avez obtenu toutes ces explications .... ?

L'agenda de l'éducation

Semaine de la presse et des médias
Lecture et écriture

PARTAGER CET ARTICLE

f Tu pourras participer à la Semaine de la presse ....

PHONÉTIQUE Quelques liaisons obligatoires

5 **Dessine ‿ sous les liaisons obligatoires et prononce les phrases. Puis écoute pour vérifier.**

Notre but ?

⬗ Informer les ados en développant chez eux un esprit critique.

⬗ Présenter en images et sous un aspect amusant les événements de la semaine.

⬗ Analyser les actualités en apportant des explications précises dans un langage simple.

⬗ Expliquer sans influencer et surtout sans ennuyer !

3 Décodons l'actualité

Exprimer la concession

1 **Complète les phrases avec les mots proposés. Utilise tous les mots.**

cependant   même si   même s'   pourtant   quand même

a .... on a vraiment l'impression que l'éléphant est dans le salon, cette photo est un montage.

b Ce requin est en plastique mais certaines personnes ont .... pensé que l'homme se promenait avec un vrai requin !

c Ces légumes semblent authentiques.

.... il s'agit bien d'un canular !
(*2 possibilités*)

d Je trouve cette photo très rigolote, ... il est clair que c'est un fake.

e Ce fruit à l'air vrai ; ...., il n'existe pas.
(*2 possibilités*)

Les verbes de parole

2 **Retrouve cinq participes passés dans le serpent de mots. Puis place-les dans les bonnes définitions.**

affirmé annoncé confirmé démenti accusé

a Il a .... l'information divulguée dans cet article.
 = Il a dit que l'information était fausse.
b La police a .... l'information donnée par la presse.
 = La police a dit que l'information était vraie.
c Le sportif a .... son entraîneur de l'avoir trompé.
 = Le sportif a donné le nom du responsable.
d Le président a .... dans ce journal qu'il ne se représenterait pas aux élections.
 = Le président a donné cette nouvelle pour la première fois dans ce journal.
e La chanteuse a .... qu'elle n'annulerait pas son concert.
 = La chanteuse a dit clairement qu'elle n'annulerait pas son concert.

La concordance des temps pour rapporter des paroles au passé

3 Transforme les phrases au discours direct. *(Il peut y avoir plusieurs possibilités.)*

▸ Johan nous a affirmé que ce n'était pas un fake.

JOHAN

> Ce n'est/était pas un fake !

d Mia m'a confirmé que c'était bien Elio qui avait publié ce canular.

MIA

....
.... !

a Alice m'a dit qu'elle avait appris la nouvelle grâce à un tweet.

ALICE

....
.... !

e Justine m'a raconté que l'info avait obtenu des millions de vues sur YouTube.

JUSTINE

....
.... !

b Léon a dit qu'il n'était pas au courant de cette rumeur.

LÉON

....
.... !

c Célia nous a annoncé qu'elle publierait prochainement la vérité sur son blog.

CÉLIA

....
.... !

f Noam a raconté qu'il essaierait de démontrer que c'était une information trompeuse.

NOAM

....
.... !

4 **Écoute et transforme les phrases au style indirect avec les verbes proposés.**

a Mon frère m'a dit que ....

b Ces journaux ont confirmé qu' ....

c 33% des personnes interrogées dans un sondage ont confirmé qu' ....

d Ce reporter a annoncé qu' ....

e Une fille de ma classe a demandé si ....
mais moi j'ai répondu que ....

Les enquêtes dans la fiction
Les aventures extraordinaires d'Adèle Blanc-Sec

La bande dessinée de Jacques Tardi, parue en 1976, a été adaptée au cinéma en 2010 par le réalisateur Luc Besson, dans le film du même nom. L'histoire : en 1912, au Jardin des Plantes à Paris, un animal étrange sort d'un œuf de ptérodactyle[1] vieux de 136 millions d'années. La peur s'installe dans la capitale. Une jeune romancière et détective, Adèle Blanc-Sec, mène son enquête un peu partout et remontera même le temps jusqu'à l'époque des Pharaons[2] d'Égypte. Parallèlement, Adèle fera tout son possible pour ramener à la vie sa sœur morte depuis cinq ans à la suite d'un accident de tennis : une aiguille[3] à cheveux lui est rentrée dans la tête !

1 dinosaure – 2 rois – 3 objet fin métallique

a **L**is l'article et complète le tableau.

	Bande dessinée	Film
auteur/réalisateur		
année de parution		
année du récit		
lieux du récit		
personnage principal		
profession(s) du/de la protagoniste		
personnage(s) secondaire(s)		

b **Q**u'est-ce qui te paraît mystérieux dans ce récit ? Réponds.

....

....

ENSEIGNEMENT MORAL ET CIVIQUE

Complète avec les mots proposés, puis réponds au quiz.

associations · citoyens · crimes · droits · judiciaire

juges · justice · lois · tribunaux · victimes

Un tribunal

LE SAVIEZ-VOUS ?

La justice fait partie de l'État : c'est le pouvoir .... Elle veille[1] au respect des ...., protège les .... des citoyens et met fin aux conflits[2] dans différents domaines.

Différents .... se chargent de ces missions : les tribunaux **civils** qui s'occupent des conflits entre les personnes, les .... ou les entreprises ; les tribunaux **pénaux** qui jugent et sanctionnent[3] les personnes qui commettent des infractions (vols, ..., etc.), et protègent de cette manière les intérêts de la société et des .... ; les tribunaux **administratifs** qui traitent les conflits entre les .... et l'administration.

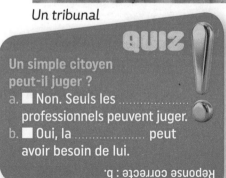

QUIZ

Un simple citoyen peut-il juger ?
a. ■ Non. Seuls les .... professionnels peuvent juger.
b. ■ Oui, la .... peut avoir besoin de lui.

Réponse correcte : b.

1 faire attention - 2 désaccords - 3 punir

Autoévaluation

Commenter l'actualité

1 26 ... /4

Écoute et place dans les bulles les expressions équivalentes à celles des mini-dialogues.

| n'importe quoi | n'a pas tort | laisse-moi parler | exactement |

> Luce ....
> .... !

> ....
> ...., Loïc !

> Attends Ian, ...
> .... !

> ....
> ...., Anna !

a   **b**   **c**   **d**

Parler des façons de s'informer

2 ... /4

Associe pour former des phrases qui expriment l'opposition.

a Les ados et les jeunes adultes préfèrent s'informer avec le numérique ; les plus de 50 ans,

b Oui, les ados d'aujourd'hui aiment toujours lire ; maintenant,

c Les jeunes lisent beaucoup (textes, publicités, articles…),

d Certains ados ne lisent que pour leurs études,

1 contrairement à ce que pense la majorité des adultes !

2 tandis que d'autres le font aussi pour leur propre loisir.

3 au contraire, préfèrent toujours les journaux papier !

4 par contre, les séquences de lectures sont plus courtes qu'avant.

3 ... /4

Utilise le gérondif pour transformer les propositions soulignées.

a Tu peux lire le journal <u>et écouter de la musique en même temps</u> ?

> ....

b <u>Quand on fait attention</u>, on voit bien que c'est un photomontage.

> ....

c Robert Jahns est-il devenu célèbre <u>le jour où il a publié cette photo de Thomas Pesquet</u> ?

> ....

d J'ai eu envie de mieux m'informer sur le sujet <u>quand j'ai lu cet article</u>.

> ....

Décoder l'actualité

4 ... /4

Choisis la bonne réponse pour exprimer la concession.

> **Info ou intox ?** C'est souvent impossible de le savoir !
> Mais existe-t-il ☐ *même si* / ☐ *quand même* certains « trucs » pour nous aider à décoder ?
>
> **Les sources d'information :** ☐ *Pourtant* / ☐ *Même si* beaucoup de journalistes font très bien leur travail, il est vrai que certains ne sont pas aussi sérieux qu'on le souhaiterait !
>
> **Notre cerveau :** Il traite des centaines d'informations chaque seconde ; ☐ *cependant* / ☐ *quand même*, pour faire ce travail rapidement, il peut faire des simplifications trompeuses.
>
> **Les photos :** Les images qu'on voit dans la presse, les magazines de mode… semblent réelles. ☐ *Quand même* / ☐ *Pourtant*, grâce à des logiciels, certaines sont parfois modifiées.

5 **27** ... /4

Écoute les notes enregistrées de ce journaliste et complète son mail.

✉ ✎ 🗑 🗑 ↩ ↩ → ⚑▾

> **Objet : un des plus gros canulars de l'histoire !**
>
> Cher Arnaud,
> J'ai interviewé Spyros Melaris, un magicien, qui m'a raconté que le 23 octobre 1995, TF1 .... dans son émission « L'Odyssée de l'étrange » des extraits d'un film où .... le célèbre extraterrestre de Roswell qu'on .... en 1947 au Nouveau-Mexique. Melaris m'a confirmé qu'on .... le film à 27 pays pour une somme totale de 4,5 millions d'euros !! Mais il m'a dit qu'en réalité il .... d'un fake et qu'il .... le film dans un appartement à Londres, et qu'un de ses amis sculpteurs, John Humphreys, ... l'extra-terrestre ! Il m'a aussi annoncé que prochainement, il .... une émission à la télé pour raconter toute la vérité.
> Je te tiens au courant…
> Jean

Vérifie tes résultats p. 79. ... /20

APPRENDRE À APPRENDRE

a. **28** Lis le test. À ton avis, quelles réponses sont vraies ou fausses ?
Écoute ensuite pour vérifier.

Vrai Faux

1. Il existe un « bon stress » et un « mauvais stress ». ☐ ☐
2. Pendant un examen, le stress peut nous aider à nous concentrer, à répondre précisément à ce qui nous est demandé. ☐ ☐
3. Le stress exagéré et continu est dangereux. ☐ ☐
4. Le stress peut nous bloquer. ☐ ☐
5. Le stress peut nous rendre plus performant. ☐ ☐

b. **29** Écoute ces conseils. Quelle(s) technique(s) préfères-tu pour combattre le stress ?
☐ Technique n°1. ☐ Technique n° 2. ☐ Technique n° 3. ☐ Technique n° 4.

Pour être plus performant(e), apprends à gérer ton stress !

Interrogeons-nous sur notre avenir

VOCABULAIRE

1 Le monde du travail, les lieux de stage, les professions ou métiers. **Lis les définitions et complète les cases.**

a Son métier est de faire le ménage. → un ☐☐C☐☐☐☐☐☐ ☐☐ ☐☐☐F☐☐☐

b C'est l'action de demander un travail. → ☐☐☐☐☐U☐☐☐

c C'est l'argent qu'on gagne grâce à son travail. → le ☐☐☐L☐☐☐☐

d C'est le synonyme d' « emploi » en langage familier. → un ☐☐U☐☐☐

e C'est un médecin qui pratique des opérations. → un ☐☐☐☐☐☐G☐☐☐

COMMUNICATION

2 Argumenter. **Relie les mots/expressions équivalents.**

a premièrement   b bref

c enfin   d ensuite

e en fait   f par exemple

a → ......
b → ......
c → ......
d → ......
e → ......
f → ......

1 en réalité   2 c'est-à-dire

3 pour finir   4 pour résumer

5 tout d'abord   6 puis

LIRE

3 Lis l'article. Dans quel paragraphe trouve-t-on les conseils suivants ? Réponds.

a S'entraîner à parler de soi > ....

b Faire des recherches sur les métiers et les possibilités de stage > ....

c Prendre contact avec le lieu de stage > ....

d Informer les personnes qu'on connaît de ce qu'on cherche > ....

jobirl.com

jobirl Le blog   L'orientation In Real Life   Accéder à la communauté

Stage de 3ᵉ : par où commencer ?

1 Premièrement, informe-toi sur jobirl.com. Tu y trouveras 840 métiers et 47 secteurs d'activité. Sur le site, 3500 professionnels sont prêts à répondre à tes questions ! Consulte aussi les offres de stage sur des sites spécialisés comme *L'Etudiant*, par exemple.

3ème

DOSSIER SPÉCIAL STAGE DE 3ÈME
Tout pour réussir son stage !

2 Ensuite, mobilise ton réseau de connaissances, c'est-à-dire ta famille, tes professeurs, tes amis, mais aussi les commerçants de ta rue, tes voisins, les membres de ton club de sport... Fais-leur savoir que tu cherches un stage !

3 Apprends à te présenter. Écris d'abord quelques lignes rapidement. Puis entraîne-toi avec des copains avant l'entretien... Le jour J, tu devras parler lentement et sourire ! Et porter des vêtements adaptés à la situation ! Bref, tu devras essayer de faire bonne impression !

4 Tu es enfin prêt pour contacter l'entreprise ! Il y a trois manières de faire : envoyer un CV et une lettre de motivation, téléphoner, ou se présenter directement. Ce dernier choix ne surprendra pas tes interlocuteurs. Au contraire ! Ils y verront une preuve de ta motivation !

Parlons de l'orientation

Les doubles pronoms COD et COI

1 **Souligne** en bleu les COD **et** en rouge les COI, **puis transforme les phrases avec des doubles pronoms.**

▶ Tu as apporté <u>les papiers</u> <u>à la conseillère d'orientation</u> ? > Tu <u>les</u> <u>lui</u> as apportés ?

a Le prof a proposé plusieurs fois ce stage à mon frère.

> ....

b Tu n'envoies pas l'adresse de ce site aux élèves ?

> ....

c Nous expliquerons à Lucille tes projets d'orientation.

> ....

d Tu devrais montrer ta lettre de motivation à ta prof avant de l'envoyer.

> ....

e Je n'ai jamais annoncé mon résultat à mes parents.

> ....

2 **Complète le chat avec des doubles pronoms.**

www.funchat.fr	
Lili	Alors, tu as décidé quelque chose pour ton orientation, l'année prochaine ? Moi, je suis allée au salon des métiers, samedi. C'est la prof de français qui .... a conseillé, à Margot et à moi.
Samy	Ah bon ? Pourquoi tu ne .... as pas dit ? J'avais le temps, samedi !
Lili	Désolée, je n'ai pas pensé à .... proposer ! Mais j'ai pris plein de brochures ; je .... garde, si tu veux !
Samy	Ok ! Passe-.........-......... quand tu pourras.
Lili	Je .... apporte demain ! Et c'est pas la peine que tu .... rendes ! J'en ai d'autres !
Samy	Super ! Merci !

3 **Transforme les phrases à l'impératif.**

▸ Tu ne dois pas les lui donner. > Ne les lui donne pas !

a Vous devez la leur conseiller. > ....

b Tu ne dois pas nous les apporter. > ....

c Tu dois me le dire. > ....

d Nous ne devons pas les lui proposer. > ....

e Vous devez nous le rappeler. > ....

PHONÉTIQUE L'élision du *e* à l'oral avec les doubles pronoms

4 **Écoute et barre les *e* qui ne sont pas prononcés dans les doubles pronoms. Puis prononce les phrases avec l'élision du *e*.**

a Qui te l'a conseillé ?

b On nous le répète toujours.

c Ne me le dis pas !

d Je te le prête.

e Tu me les donnes ?

f On vous le demande souvent ?

L'orientation

5 **Écoute les définitions et complète la grille avec les mots correspondants.**

55

Exprimons des souhaits pour l'avenir

Exprimer des souhaits

1 **Transforme les phrases avec les verbes proposés.**

a Mes parents espèrent que je réussirai mes études.

> Mes parents souhaitent que ....

b Je voudrais que vous me disiez quelle filière vous intéresse !

> J'espère que ....

c Nous espérons que tu réaliseras tous tes rêves et que tu seras heureux !

> Nous voulons vraiment que ....

d Ils espèrent qu'elle choisira une filière avec beaucoup de débouchés.

> Ils aimeraient bien qu' ....

e Je n'aimerais pas que mon futur métier me prenne tout mon temps !

> Je ne souhaite pas que ....

2 **Lis la liste et formule les souhaits de Timéo. Utilise le subjonctif ou l'infinitif.**

Mes souhaits pour l'avenir :
- je voyagerai autour du monde
- mes meilleurs amis seront toujours mes meilleurs amis
- je ferai un métier qui me plaît
- j'aurai toujours le temps de faire du sport
- ma famille et moi, nous serons toujours aussi proches

Plus tard, je voudrais ....
....
....
....
....
....
....
....

3 Complète le forum avec les verbes à la forme correcte (infinitif ou *que/qu'* + indicatif/ subjonctif). Utilise les sujets proposés.

www.forum-orientation.fr

Quels sont vos souhaits pour votre future vie professionnelle ?

Paulo78
Plus tard, j'espère (*le monde du travail / aller*) .... mieux et (*il / être*) .... plus facile de trouver un job que maintenant !

anitanita
Moi, je souhaite (*je / faire*) .... de ma passion mon travail car j'aimerais vraiment (*ce / être*) .... un plaisir d'aller au boulot tous les jours !

Samuel
Moi, je voudrais (*je / avoir*) .... une profession qui bouge ! Je souhaite vraiment (*mon futur métier / me faire*) .... voyager !

lalou
Eh bien moi, je n'ai pas envie (*mon travail / devenir*) .... ma seule raison de vivre ! Alors j'espère (*je / avoir*) .... du temps pour vivre mes passions !

Exprimer la certitude et le doute

4 Associe pour former un maximum de phrases correctes.

a On est sûrs que
b Je doute que
c On n'est pas convaincus que
d Elle est persuadée que
e Ils sont certains que
f Je ne suis pas sûre que

1 vous choisirez un métier intéressant.
2 Mathilde puisse faire un stage dans cette entreprise.
3 Louis a changé d'établissement.
4 Perrine sache ce qu'elle veut faire plus tard.

a-1/ ...... ; ....

5 Reformule les phrases, comme dans l'exemple.

▸ Je réussirai le concours de médecine ! J'en suis convaincue !
  > Je suis convaincue que je réussirai le concours de médecine !

a Il veut devenir un grand artiste ? J'en doute !
  > Je doute qu'il ....

b On partira tous loin d'ici ! On en est sûrs !
  > ....

c Les ados sont inquiets pour leur avenir ? Elle n'en est pas persuadée…
  > ....

d Ils feront le tour du monde. Ils en sont certains.
  > ....

e Elle a un entretien avec la conseillère d'orientation ? Je n'en suis pas du tout sûre !
  > ....

CULTURES

⟨32⟩ Écoute et complète avec les étiquettes. Puis associe les métiers aux illustrations correspondantes.

lavait et parfumait le linge¹   est aujourd'hui un artiste   annonçait des informations

existe encore aujourd'hui   a disparu depuis l'apparition de la machine à laver

aiguise des couteaux

1 ensemble des vêtements et objets en tissu de la maison

Le rémouleur : .... → illustration ......
La lavandière : .... → illustration ......
Le crieur public : .... → illustration ......

Géographie

Lis l'encadré et les définitions. Puis associe chaque secteur d'activité à sa définition.

Les principaux secteurs d'activité en France	Agriculture et agroalimentaire 1	Industrie 2	Énergie 3	Commerce et artisanat 4	Tourisme 5

a Depuis la disparition de la production de charbon en France en 2005, ce secteur fonctionne principalement autour de l'électricité et du gaz. = ...

b Dans ce secteur d'activité, on produit principalement des céréales, du sucre, des produits laitiers et de la viande. = ...

c Depuis les années 70, ce secteur a été bouleversé par la grande distribution¹, ce qui a fait disparaître les petits magasins. Mais les petits artisans gardent quand même une place importante aujourd'hui en France. = ...

d La France est le pays le plus visité au monde grâce à ses sites culturels, balnéaires² et alpins. C'est pourquoi ce secteur d'activité est un moteur de croissance³ économique. = ...

e De nombreux domaines de ce secteur sont très dynamiques au niveau économique : l'automobile, l'aéronautique, l'électronique, etc. = ...

1 les supermarchés – 2 en relation avec les bains de mer – 3 augmentation, progression

Autoévaluation

S'interroger sur son avenir

1 ... /4

Complète le dialogue avec les mots suivants. [lettre de motivation] [job] [consulté]

[postuler] [offres d'emploi] [entreprise] [décrocher] [stage]

> Tu as .... les ....
> pour trouver un .... pour l'été ?

> Tu peux aussi aller porter ta ....
> directement à un employeur. Moi, j'ai fait comme
> ça pour .... mon ....
> d'observation et ça a bien marché !

> Oui, mais je n'ai rien trouvé,
> alors je vais ....
> dans l'.................... où
> travaille mon père.

2 ... /4

Retrouve, dans le serpent de mots, quatre expressions pour argumenter et place-les dans les phrases. Puis classe les conseils pour postuler à un stage.

enfaitpuisc'est-à-diretoutd'abord

a Dans ta lettre, précise tes motivations, ... pourquoi tu aimerais faire ton stage
dans cette entreprise. → conseil n°.....

b Choisis .... un lieu qui t'intéresse : c'est la première chose à faire. → conseil n°.....

c Tu peux aller porter ta lettre toi-même au lieu de l'envoyer car, ..., c'est souvent
plus efficace de se déplacer ! → conseil n°.....

d .... écris ta lettre de demande de stage. → conseil n°.....

Parler de l'orientation

3 ... /4

Réponds aux questions avec des doubles pronoms.

a – Marine t'a montré son bulletin de notes ?

   – Oui, elle ....

b – Tu n'as pas envoyé ton CV à l'employeur ?

   – Si, je ....

c – Tu as présenté ton projet d'orientation à tes parents ?

   – Non, je ....

d – Je vous donne le nom de l'entreprise ?

   – D'accord, ...

Exprimer des souhaits pour l'avenir

4 .../4

Associe pour former toutes les phrases correctes possibles.

a Je souhaite
b Elle espère
c Ils n'aimeraient pas
d Nous voudrions

1 que l'avenir sera plus agréable que le présent.
2 que ses projets deviennent réalité !
3 habiter toujours ici dans 20 ans !
4 que l'avenir soit sans surprise.

a- ....

....

5 33 .../4

Écoute les dialogues et complète, comme dans l'exemple.

▸ Antoine n'est pas <u>sûr</u> que son stage *soit utile*, mais Anna, elle, **en est <u>sûre</u>**.

a La conseillère d'orientation est certaine que Romain .... ,

   mais Romain, lui, ...

b Valentine n'est pas persuadée que cette filière .... ,

   mais Zaïd, lui, ...

c Florentin doute que Paul .... ,

   mais Luce, elle, ...

d Mathias est convaincu que, dans vingt ans, ils .... ,

   mais Oriane, elle, ...

Vérifie tes résultats p. 80. .../20

APPRENDRE À APPRENDRE

a. 34 Écoute ce spécialiste parler de solutions contre la « procrastination ». Puis retrouve le passage qui manque à chaque étape (1 à 5) de son explication.

a « Pourquoi est-ce que je dois écrire un mail en français pour me présenter ? Eh bien pour prendre contact avec mon correspondant français qui vient dans un mois ! » → Étape n°......

b … regardez vos messages sur votre portable ou une vidéo sur Youtube… → Étape n°......

c … parce que vous ne savez pas par où commencer, ou peut-être parce que vous avez peur de l'échec ? → Étape n°......

d … pour écrire mon mail, je dois d'abord faire un plan, puis rédiger mon texte, puis vérifier les mots où j'ai des doutes, etc. → Étape n°......

e … le téléphone portable, les réseaux sociaux… → Étape n°......

b. 35 Écoute l'explication complète du spécialiste pour vérifier.

Pour être performant(e), apprends à t'organiser !

1

Exprimons des sentiments sur des progrès scientifiques

VOCABULAIRE

1 Le progrès scientifique, l'humain, l'homme augmenté. **Complète la grille avec les mots correspondant aux photos.**

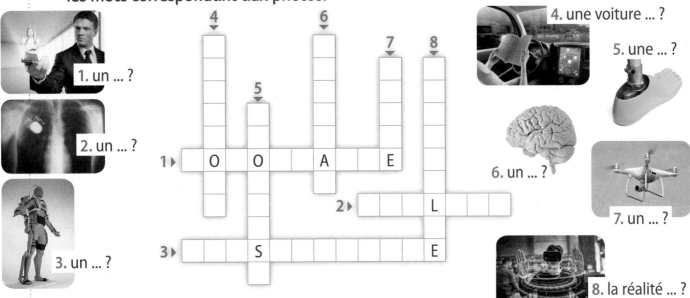

1. un ... ?
2. un ... ?
3. un ... ?

4. une voiture ... ?
5. une ... ?
6. un ... ?
7. un ... ?
8. la réalité ... ?

COMMUNICATION

2 Exprimer des sentiments. **Complète les phrases avec les verbes proposés à l'infinitif ou au subjonctif. Puis classe les phrases dans le tableau.**

avoir   circuler   devenir   pouvoir   prendre

a Je trouve ça fascinant qu'on .... réparer des membres.

b J'ai hâte d' .... un robot compagnon qui m'aide à tout faire.

c Ça me fait peur que les robots .... un jour plus intelligents que nous !

d Je trouve ça risqué que tout le monde .... avec des voitures autonomes.

e C'est super que les appareils de la maison .... seuls des décisions, non ?

La crainte, l'inquiétude	L'enthousiasme	L'impatience
....	....	....

ÉCOUTER

3 🎧 36 a **Écoute ces internautes et choisis la bonne réponse. Qui, face à l'avenir, ...**

	1	2	3	4	5	6	7	8
... est inquiet/ète ?								
... est enthousiaste ?								
... est impatient(e) ?								

b **Qui parle de/d'...**   - emplois ? → personne n°...   - progrès médicaux ? → personne n°...

- décoration ? → personne n°...   - voyages ? → personnes n°... et n°...

Évoquons des possibilités

Exprimer la simultanéité

1 **Associe pour former des phrases.**

a Quelle a été votre réaction **lorsqu'** → ...

b Vous êtes sorti combien de fois à l'extérieur de la station **au cours de** → ...

c Vous vous êtes entraîné **pendant** → ...

d C'est vrai qu'on grandit de cinq centimètres **lors d'** → ...

e Est-ce que les autres astronautes vous ont fait des blagues **pendant que** → ...

f Qu'avez-vous pensé **au moment où** → ...

1 combien de temps pour pouvoir partir ?

2 vous dormiez ?

3 votre mission ?

4 on vous a annoncé que vous étiez sélectionné pour ce voyage spatial ?

5 un séjour dans l'espace ?

6 vous avez vu la Terre pour la première fois, de l'espace ?

2 **Complète l'article avec les mots proposés.**

au cours de   lors   lorsqu'   au moment   pendant   pendant que

....
**ce temps,
à 400 km d'ici...**

.... sur la Terre la vie suit son cours normal, six hommes et femmes, de différentes nationalités, se trouvent séparés de leur famille, pas très loin d'ici !

Où ça ?
À bord de la Station spatiale internationale (ISS) ! Et .... où vous êtes justement en train de lire cet article, l'ISS passe peut-être au-dessus de votre tête, à environ 400 kilomètres !

Mais que fait-on sur l'ISS ?
.... de leur séjour de quelques mois en apesanteur, les spationautes mènent des expériences scientifiques afin de préparer une future mission habitée vers la planète Mars. .... leurs journées de travail, ils étudient les effets d'un long séjour sur l'organisme mais, ... ils ont un moment de détente, ils en profitent pour faire un peu de sport (afin de garder la forme), et aussi pour faire quelques selfies qu'ils envoient à leur famille et leurs amis !

Exprimer la possibilité ou l'impossibilité

3 Reconstitue les expressions et complète les réponses de cet astronaute.

a LI ES TUPE U'Q
.... à l'avenir on puisse vivre pendant des années sur une station.

b TESC' BIMPISSOLE ED
En apesanteur, ...
prendre une douche : on peut seulement s'humidifier le corps.

e LI TES SLOBISPE UQ'
Oui, je pense qu'
.... il y ait de la vie ailleurs.

c TUEP-TÊRE UQ'
.... on organisera des missions sur d'autres planètes !

d BROPEMBLANTE
Dans quelques années, on trouvera ....
des solutions à tous ces problèmes.

f LI SET UPE BRAPLOBE QEU
.... je fasse une autre mission, mais qui sait ?

4 **Choisis l'option correcte. Dans le futur, …**

a il sera possible ☐ *qu'* / ☐ *d'* aller vivre sur Mars ?
b peut-être que les gens ☐ *seront* / ☐ *soient* moins souvent malades ?
c il se peut qu'on ☐ *soit* / ☐ *sera* tous trop dépendants des ordinateurs.
d est-il improbable qu'il y ☐ *ait* / ☐ *aura* des mariages entre les humains et les robots ?
e il sera ☐ *possible qu'on* / ☐ *impossible de* vivre sur une exoplanète ?
f il est peu probable qu'on ☐ *mettra* / ☐ *mette* à tout le monde des implants dans le cerveau.

5 **Complète les questions et les réponses de ce forum avec les verbes proposés.**

◀ ▶ C ⌂ ✕ + www.forum-espace.fr 🔍

Posez vos questions, notre expert en aérospatial vous répond…

Alexi@
Est-il improbable qu'on .... (*pouvoir*) vivre sur une autre planète, dans moins d'un siècle ?
Notre réponse : *Je pense qu'il est impossible qu'on .... (vivre) sur une autre planète avant cent ans. Mais peut-être plus tard ?*

Capsule
Est-il possible que des astronautes .... (*voyager*) plus de deux ans dans l'espace ?
Notre réponse : *Pour le moment, il est impossible de .... (rester) aussi longtemps dans l'espace ; le record jusqu'à présent est de 437 jours !*

Ancelade
Sera-t-il possible de .... (*se déplacer*) un jour à la vitesse de la lumière ?
Notre réponse : *Il se peut qu'un jour on .... (être) capables de se déplacer aussi rapidement, mais pas pour le moment !*

Gagarinette
Est-il improbable qu'il y .... (*avoir*) une vie intelligente, ailleurs ?
Notre réponse : *Peut-être qu'un jour on .... (découvrir) d'autres types de vies ; mais intelligentes… qui sait ?*

Parlons de science-fiction

Parler d'un livre ou d'un film

1 **a Associe les éléments pour former des phrases.**
1 Ça raconte → .d.
2 L'histoire se passe à → …
3 C'est alors → …
4 L'histoire se déroule au → …
5 Petit à → …
6 Jusqu'au jour → …
7 Ce roman de John Green nous fait réfléchir → …

a que la protagoniste se rend compte qu'elle est différente des autres et ça, c'est dangereux !

b Poudlard (*Hogwarts* en version originale).

c où Katniss leur donne de l'espoir pour lutter contre le Capitole.

d l'histoire de Bella Swan, une humaine, et de ses relations avec Edward Cullen, un vampire.

e petit, les différentes familles s'opposent dans une guerre civile pour obtenir le Trône de fer.

f milieu des années 80.

g sur l'importance d'apprécier ce qu'on a.

(37) **b Retrouve de quels livres ou films on parle dans ces phrases. Puis écoute pour vérifier.**
1984 → …
Divergente → …
Game of Thrones → …
Harry Potter → …
Hunger games → …
Nos étoiles contraires → …
Twilight → n°.1

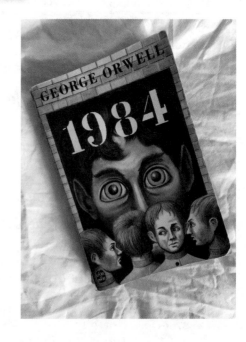

Le passé simple

2 **Coche le verbe au passé simple.**

a je ☐ *montai* / ☐ *montais*

b il ☐ *a pris* / ☐ *prit*

c tu ☐ *fais* / ☐ *fis*

d vous ☐ *dîtes* / ☐ *dites*

e nous ☐ *voulûmes* / ☐ *voulons*

f elles ☐ *pourraient* / ☐ *purent*

g il y ☐ *eut* / ☐ *a*

h je ☐ *répondais* / ☐ *répondis*

3 **Complète l'extrait du roman avec les verbes suivants.**

attendit | dit | devint | fut | laissa | regarda | sortit

Un message venu de loin

Elle (Phyllis) .... soudain de son rêve [...]. Elle .... quelques secondes et perçut un nouvel éclat[1] [...]. Jinn, alerté[2], ... de son avis, [...] : un corps étincelant sous la lumière flottait dans l'espace, à une distance qu'ils ne pouvaient encore préciser. [...]

– C'est un objet de petite taille, ...-il. Cela semble être du verre... Laisse-moi donc regarder. Il se rapproche. Il va plus vite que nous. On dirait...

Son visage .... sérieux. Il .... tomber les jumelles[3] [...].

– C'est une bouteille, chérie.

– Une bouteille !

Elle .... à son tour.

– Une bouteille, oui. Je la vois distinctement. Elle est en verre clair. [...] Il y a un objet blanc à l'intérieur... du papier, un manuscrit, sûrement. Jinn, il nous faut l'attraper !

D'après *La planète des singes*, Pierre Boule, éd. Julliard, 1963.

PIERRE BOULLE
La planète
des singes

POCKET

1 vit une nouvelle chose brillante
2 inquiété par un danger
3 instrument permettant de voir au loin

PHONÉTIQUE La prononciation du passé simple

4 🎧 38 **Écoute et signale dans quelle phrase (a ou b) tu entends un verbe au passé simple.**

	phrases avec un verbe au passé simple	
1	a ☐	b ☐
2	a ☐	b ☐
3	a ☐	b ☐
4	a ☐	b ☐
5	a ☐	b ☐
6	a ☐	b ☐

CULTURES

(39) Écoute ces ados parler de leur expérience aux Utopiales de Nantes et réponds aux questions.

a Vrai ou faux ?

	Vrai	Faux
1 Les Utopiales ont lieu fin novembre.	☐	☐
2 Elles existent depuis plus de quinze ans.	☐	☐
3 Elles sont considérées comme le premier événement mondial autour de la science-fiction.	☐	☐
4 Aux Utopiales, on peut…		
a voir des manifestations en relation avec l'art.	☐	☐
b assister à des conférences sur la science.	☐	☐
c parler avec des écrivains ou des auteurs de SF.	☐	☐
d gagner des prix.	☐	☐
e créer des jeux vidéo.	☐	☐

b Associe les documents aux personnes.

a
Game Jam

→ personne n° …

b
La Cité des Congrès de Nantes et les Utopiales présentent!
NANTES
Vendredi 3 Novembre 2017
Cité des Congrès de Nantes
A l a n S i m o n
Big Bang
Le Ballet Electro Rock Symphonique
+guests
Soliste: JOHN HELLIWELL from SUPERTRAMP
Chorégraphies: NIKOLAY ANDROSOV
Le chœur et l'orchestre des petites mains symphoniques
dirigés par ERIC DU FAY
20H30

Ballet
Electro Rock
Symphonique

→ personne n° …

c
Dédicace
de livres

→ personne n° …

Informatique

Lis l'article et coche vrai ou faux.

Un ordinateur optique ultra-rapide

L'idée de créer un ordinateur optique est dans les esprits depuis plusieurs décennies car utiliser des photons[1] ~WWW~ comme support de l'information à la place des électrons[2] ⚛ présenterait certains avantages. En effet, lorsque des électrons se déplacent dans des solides, ils émettent de la chaleur et leur vitesse est limitée. Mais, pour augmenter la vitesse de calcul d'un ordinateur, il faut aussi augmenter la vitesse de déplacement des électrons. Résultat : la chaleur émise est encore plus intense, ce qui limite la performance des puces[3] électroniques. Un problème qui pourrait disparaître grâce à l'ordinateur optique.

D'après www.futura-sciences.com

1 particule élémentaire de la lumière – 2 un des constituants de l'atome avec une charge électrique négative
3 pièce de silicium où est implanté un circuit intégré

	Vrai	Faux
a Les ordinateurs actuels utilisent des photons.	☐	☐
b Lorsqu'on augmente la vitesse de calcul d'un ordinateur, la chaleur émise par les électrons augmente aussi.	☐	☐
c Les puces électroniques fonctionnent mieux lorsque la chaleur émise par les déplacements des électrons est intense.	☐	☐

Autoévaluation

Exprimer des sentiments sur des progrès scientifiques

1 ... /3

Complète le dialogue avec les mots suivants.

crains | fascinant | flipper | hâte | peur | risqué

– Oh, j'ai .... que ce filme sorte ! J'ai l'impression qu'il va être super !

– Moi, je n'aime pas trop les films de SF ! Toutes ces avancées technologiques, ça me fait un peu .... ! Bientôt, elles ne seront plus seulement dans nos tablettes ou nos smartphones mais on les aura partout : dans nos vêtements, dans nos lunettes, même dans notre corps !

– Pourquoi ? Tu as .... de devenir un cyborg ? Moi, au contraire, je trouve .... qu'on puisse presque devenir des superhéros avec des superpouvoirs !

– Mais c'est pas .... qu'on ait tous des superpouvoirs ? Moi, en tout cas, ça m'inquiète un peu…

– Oh la la, je .... que tu ne sois pas préparé à vivre le siècle qui nous attend !

Évoquer des possibilités

2 ... /4

Complète avec quatre expressions de la simultanéité différentes.

a Tu as appris quelque chose d'intéressant .... de ta visite à la Cité de l'espace de Toulouse ?

b Quelle a été votre réaction .... vous avez vu les pierres de lune ?

c Que faisait le prof de physique .... que vous faisiez la visite ? Il est resté avec vous ?

d Et quelle a été ton impression .... où tu as vu la reproduction de la fusée Ariane 5 ?

3 ... /4

Reconstitue les phrases et conjugue les verbes soulignés au subjonctif ou au futur.

a se nourrir principalement | peut-être | on | qu' | d'insectes | dans le futur

→ ....

b nous | que | peu probable | des villes sous l'eau | construire | il est

→ ....

c il | des avions autonomes | qu' | se peut | y avoir aussi | il

→ ....

d toujours autant | nous | le changement climatique | inquiéter | probablement

→ ....

Parler de science-fiction

4

... /5

Complète le résumé et place les lettres des étiquettes (a, b, c…) au bon endroit.

| a c'est alors qu' | b il nous fait réfléchir | c jusqu'au jour où | d l'histoire se déroule en |

| e il nous montre | f petit à petit | g raconte l'histoire de | h il s'agit d'un | i tout à coup | j un jour |

Blade Runner 2049

... film de science-fiction du réalisateur Denis Villeneuve dont ... 2049. Le film ... K (Ryan Gosling), un humanoïde appelé « *réplicant* », chargé d'éliminer les anciens modèles. ..., K part en mission dans une ferme et découvre, ..., un détail qui lui rappelle un cheval de bois qu'il avait quand il était enfant. K poursuit ses missions, ... il retrouve, près d'un orphelinat, le petit cheval de bois ! Comment cela est-il possible, si les souvenirs des *réplicants* sont implantés, donc faux ? ... il décide d'aller voir Ana (Carla Juri), une ingénieure de la mémoire, qui identifie le souvenir de K comme réel ! ..., K va faire des découvertes sur son passé et découvrir, en fait, qui il est.

Critiques spectateurs

par Florian ★★★★★ : J'ai bien aimé ce film car ... sur nos origines et ... les dangers d'une société dominée par la technologie... <u>Lire la suite</u>

5

... /4

Souligne dans le texte huit autres verbes au passé simple. Puis écris leur infinitif.

Louis <u>observa</u> (a) le corps allongé sur le lit ; il mit un moment avant de comprendre que c'était son propre corps qui reposait devant lui ! Une fine ligne rouge qui partait de son front arrivait jusqu'à sa bouche. Louis put sentir le goût du sang, de son propre sang.

Il sortit enfin de son sommeil. Ses doigts touchèrent son front : il fut surpris de ne trouver aucune trace de blessure… Il eut un moment d'hésitation et alluma la lumière. C'est alors qu'il comprit qu'il avait fait un cauchemar. Le même cauchemar qui revenait de plus en plus souvent ces dernières semaines !

a .....observer..........   d ....   g ....

b ....   e ....   h ....

c ....   f ....   i ....

Vérifie tes résultats p. 80. ——— ... /20

APPRENDRE À APPRENDRE

Lis l'article et entoure quatre bonnes raisons d'apprendre une langue étrangère.

BOOSTER SON CERVEAU EN APPRENANT UNE LANGUE

Apprendre une langue étrangère n'est pas seulement un moyen de communiquer : ça peut apporter beaucoup d'autres choses !

Selon de récentes études, on sait par exemple qu'apprendre une langue étrangère a une influence sur la manière de penser et d'agir : cela améliore notre capacité à réfléchir rapidement ou à prendre des décisions.

Ensuite, l'apprentissage d'une seconde langue demande au cerveau de comprendre et d'enregistrer de nombreuses informations : vocabulaire, phonétique, grammaire… Donc, plus vous continuerez à pratiquer cette langue à l'écrit ou à l'oral, plus vous stimulerez votre mémoire. D'autres études ont également montré que les personnes âgées bilingues pouvaient retarder de plusieurs années l'apparition de la maladie d'Alzheimer. Car parler une autre langue active certaines parties du cerveau et diminue le rythme du vieillissement des neurones. Et signalons aussi que parler une langue étrangère développe vraiment la confiance en soi ! Alors, motivés pour continuer à apprendre le français ?

Pour stimuler ton cerveau, continue à apprendre le français !

Ateliers d'écriture

Un scénario

Tu veux poster une vidéo sur YouTube. Choisis un sujet et écris la première scène de ton scénario.

Avant d'écrire...

Un **scénario** est un texte au présent qui décrit tout ce qu'on peut voir et entendre dans une vidéo.
On y indique les dialogues des acteurs et, dans des didascalies, les indications pour le tournage des scènes.

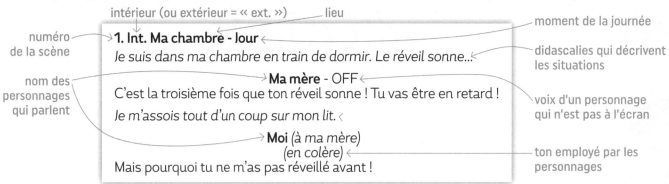

intérieur (ou extérieur = « ext. »)   lieu

numéro de la scène

1. Int. Ma chambre - Jour

Je suis dans ma chambre en train de dormir. Le réveil sonne...

nom des personnages qui parlent

Ma mère - OFF

C'est la troisième fois que ton réveil sonne ! Tu vas être en retard !

Je m'assois tout d'un coup sur mon lit.

Moi *(à ma mère)*
(en colère)

Mais pourquoi tu ne m'as pas réveillé avant !

moment de la journée

didascalies qui décrivent les situations

voix d'un personnage qui n'est pas à l'écran

ton employé par les personnages

Toi aussi, pense à :

- choisir un sujet qui intéresse ton public ;
- bien respecter la présentation d'un scénario, comme dans l'exemple ci-dessus.

Pour écrire ton scénario

Utilise au moins :

- une expression de la cause ou de la conséquence :   comme   puisque   grâce à...
- deux impératifs ;
- une expression de la restriction *ne ... que.*

Un calligramme

Présente une tendance de la mode actuelle sous forme de calligramme.

Avant d'écrire...

Un **calligramme** est un poème présenté sous la forme d'un dessin en relation avec le sujet traité dans le texte.

Toi aussi, pense à :

- écrire d'abord ton poème : décris la tendance, explique ce qui fait son succès, ne dévoile qu'à la fin de quelle tendance il s'agit ;
- dessiner au crayon la forme que prendra ton poème (en relation avec la tendance choisie) ;
- le recopier en suivant les lignes du dessin.

Calligrammes, extrait de « Poèmes à Lou » de Guillaume Apollinaire

Pour réaliser ton calligramme

Utilise...

• des expressions pour décrire l'apparence :

ressembler à	avoir l'air	paraître…

• les pronoms *en* et *y*.

Un autoportrait

Écris ton autoportrait à partir de tes réponses au questionnaire de Proust.

Avant d'écrire...

Le grand écrivain français **Marcel Proust** (1871-1922) avait pour habitude de faire compléter à ses amis un questionnaire inspiré d'un jeu anglais, pour mieux connaître leur personnalité. Voici quelques-unes de ces questions :

Le questionnaire de Proust

Le principal trait[1] de mon caractère • Mon principal défaut • Ma principale qualité • Ce que j'apprécie le plus chez mes amis • Mon occupation préférée • Mon rêve de bonheur • À part[2] moi-même, qui voudrais-je être ? • Où aimerais-je vivre ? • Mes héros ou héroïnes favori(te)s dans la fiction • Mes héros ou héroïnes préféré(e)s dans la vie réelle • Mes héros dans l'histoire • Le don de la nature que je voudrais avoir • Ma devise

1 élément ; 2 excepté

Toi aussi, pense à :
- répondre au questionnaire de Proust avant de rédiger ton autoportrait ;
- compléter tes réponses avec des exemples et des anecdotes ;
- utiliser tes réponses dans l'ordre que tu veux pour écrire un texte.

Pour écrire ton autoportrait

Utilise des expressions pour comparer :

comparé(e) à   plus…, plus

moins…, moins   comme…

Un plaidoyer

Choisis une cause humanitaire que tu aimerais défendre et écris un plaidoyer.

Avant d'écrire...

Un **plaidoyer** est un discours oral ou écrit qui a pour but de défendre une personne ou une cause.

Plaidoyer pour la défense de l'environnement

L'environnement a changé à cause de la pollution et l'air est devenu irrespirable dans les villes. Les produits chimiques utilisés dans l'agriculture font disparaître les abeilles et causent des maladies chez l'homme. Nos poubelles débordent de déchets. Le pétrole détruit les océans...

Nous avons besoin des arbres et des plantes pour respirer ! Nous avons plus besoin de la nature qu'elle n'a besoin de nous ! Nous avons donc un seul objectif : protéger notre Terre.

Et pour cela, nous avons besoin de vous !

Pour écrire ton plaidoyer

Utilise...

• des expressions de but :

| afin de/que | pour (que) | a pour objectif de... |

• le conditionnel pour faire des suggestions et des hypothèses.

Toi aussi, pense à :
- présenter les différents problèmes constatés en lien avec la cause choisie ;
- expliquer quel est l'objectif du plaidoyer ;
- terminer par une phrase qui appelle à la mobilisation.

Une autobiographie

Écris l'histoire d'une invention à la manière d'une autobiographie.

Avant d'écrire...

Une **autobiographie** (du grec *bios* = vie, *graphein* = écrire et *auto* = de soi) est le récit fait par l'auteur lui-même de sa propre vie.

> Lorsque j'ai été inventé par Josephine Cochrane, au début du XXe siècle, j'ai reçu un prix car je suis une invention dont les femmes rêvaient depuis longtemps. Avant mon existence, elles devaient passer beaucoup de temps en cuisine à... (*le lave-vaisselle*)

Toi aussi, pense à :

- bien t'informer sur l'invention choisie (inventeur, dates et personnages importants, contexte historique…) ;
- adopter le point de vue de l'objet et écrire ton récit à la première personne (*je*) ;
- respecter la chronologie des faits ;
- ne dévoiler qu'à la fin de quelle invention il s'agit.

Pour écrire l'autobiographie de ton invention

Utilise...
- la forme passive ;
- des expressions de l'antériorité et de la postériorité ;
- les pronoms relatifs *dont* et *où*.

Un fait divers

Écris un fait divers pour le journal de ton établissement à partir d'un événement réel qui s'est produit dans ta ville ou ton pays.

Avant d'écrire...

Un **fait divers** est un article court qui raconte un événement de l'actualité soit insolite, soit tragique (accident, vol, crime…). On y trouve souvent des informations qui répondent aux questions *qui, quoi, où, quand, comment, pourquoi* et des précisions sur les conséquences de l'événement.

La police identifie un suspect grâce à ce croquis amateur

La police américaine de Lancaster, en Pennsylvanie, a identifié un homme qui avait commis un vol grâce au dessin d'un témoin.
Un inspecteur a déclaré qu'il avait ensuite été facile d'identifier le voleur en consultant les photos de la police. Le coupable, qui est accusé d'avoir pris la place du vendeur d'un kiosque pendant son absence, puis de s'être enfui avec l'argent de plusieurs clients, est donc recherché. À suivre…

Pour écrire ton fait divers

Utilise...
• des expressions de l'opposition et/ou de la concession :

| même si | en revanche |

| contrairement à | cependant… |

• le discours indirect au passé ;
• le gérondif.

Toi aussi, pense à :

- écrire un titre ;
- donner les informations qui répondent aux questions *qui, quoi, où…* ;
- préciser les conséquences de l'événement.

Les **nouvelles** *du jour*

1er avril 20...

Faits divers

....
....
....
....
....
....
....
....
....
....
....
....
....
....
....
....

Une lettre de motivation

Tu veux postuler pour un stage (en entreprise, dans une association, dans un magasin…). Tu écris ta lettre de motivation.

Avant d'écrire...

La **lettre de motivation** permet de se présenter et de préciser les raisons pour lesquelles on souhaite postuler à un stage ou un emploi.

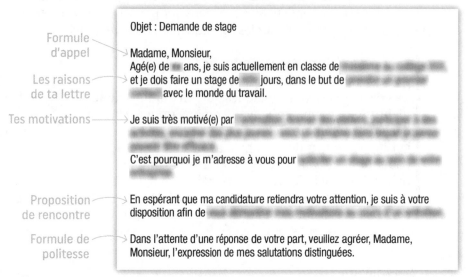

Formule d'appel

Les raisons de ta lettre

Tes motivations

Proposition de rencontre

Formule de politesse

Objet : Demande de stage

Madame, Monsieur,
Âge(e) de ██ ans, je suis actuellement en classe de ████████████████ et je dois faire un stage de ████ jours, dans le but de ██████████████ ████████ avec le monde du travail.

Je suis très motivé(e) par ███████████████████████████████ ███ ████████████.

C'est pourquoi je m'adresse à vous pour ██████████████████████ ██████.

En espérant que ma candidature retiendra votre attention, je suis à votre disposition afin de █████████████████████████████████.

Dans l'attente d'une réponse de votre part, veuillez agréer, Madame, Monsieur, l'expression de mes salutations distinguées.

Pour écrire ta lettre de motivation

Utilise...

- des expressions pour argumenter :

  tout d'abord

  ensuite

  c'est-à-dire

- l'expression des souhaits.

Toi aussi, pense à :

- écrire, en haut à gauche : ton prénom et ton nom, ton adresse, ton téléphone, ton mail, etc. ; et à droite : le nom de l'employeur et son adresse ;
- respecter la présentation et le plan de la lettre de motivation.

....
....
....
....

Objet : demande de stage

....
....
....
....
....
....
....
....
....
....
....
....
....

Un slam

Écris un slam pour parler de notre monde envahi par les technologies.

Avant d'écrire...

Le **slam** est à mi-chemin entre la poésie et le rap. C'est une poésie orale qui est dite de manière rythmée, souvent sur fond musical. Le slam suit certaines règles de la poésie, avec un nombre de pieds[1] généralement identique dans chaque vers[2], et respecte les rimes[3].

1 syllabes - 2 chaque ligne d'un poème - 3 même sonorité à la fin des vers

J'crois que les histoires d'amour c'est comme les voyages en train, — rime A
Et quand je vois tous ces voyageurs parfois j'aimerais en être un, — rime A
Pourquoi tu crois que tant de gens attendent sur le quai de la gare, — rime B
Pourquoi tu crois qu'on flippe autant d'arriver en retard. — rime B

Extrait de *Les voyages en train*, de Grand Corps Malade
(Écoute le slam : http://bit.ly/2FLghWk)

Toi aussi, pense à :

- bien respecter le nombre de pieds (en faisant, si nécessaire, des élisions comme on les entend à l'oral) ;
- écrire des vers qui riment ensemble (AABB, ABAB ou ABBA).

Pour écrire ton slam

Utilise...
- l'expression des sentiments ;
- l'expression de la possibilité ou l'impossibilité.

Corrigés des pages *Révise ton français*

1. où - **2. a.** restées ; **b.** rentré / rentrée / rentrés / rentrées - **3. a.** lui ; **b.** les ; **c.** moi - **4.** énerver / se disputer -
5. mettre (mis) - **6.** en plastique / en bois / en métal - **7. a** - **8. a.** existait ; **b.** existe - **9. b** (l'hémisphère) - **10.** d' -
11. Bisous / Je t'embrasse / À bientôt / À plus - **12. a** - **13.** ennuyeux - **14. b** - **15.** de science-fiction / fantastique / policier -
16. trop - **17.** le gaspillage - **18.** aur- (avoir) / ser- (être) / saur- (savoir) - **19.** Bien joué ! - **20.** Les jeter - **21. b** -
22. Je pourrais avoir une cuillère ? - **23.** moins de - **24.** C'est appétissant ! - **25.** Ceux qui me donnent des sensations fortes. -
26. Ça me déprime ! - **27.** Ne t'en fais pas ! - **28. c** (a = les yeux, b = respirer, d = sourire) - **29.** dire (vous dites) -
30. Bousculer quelqu'un. / Salir les sièges des bus.

Corrigés des autoévaluations

Étape 1

1   **a** Grâce aux – **b** Puisque – **c** C'est pourquoi – **d** comme ça – **e** Vu que – **f** Comme

2   Salut ! Une vidéo, aujourd'hui, pour vous dire que ma chaîne existe depuis seulement un an et que j'ai déjà plus d'un million d'abonnés ! C'est génial ! On m'a invitée à Bruxelles, à un rassemblement de youtubeurs, et j'ai rencontré une foule de fans : je ne pouvais pas croire qu'ils étaient des centaines à se déplacer seulement pour moi ! Merci à tous de me suivre et de m'envoyer plein de likes et d'innombrables commentaires sympas ! Merci de faire vivre ma chaîne et à bientôt pour des tas d'autres vidéos !

3   **a** Ne t'endors pas – **b** N'oubliez pas – **c** Différencie-toi – **d** Ne nous amusons pas

4   **a** Tu n'as pris ni ton téléphone ni ta tablette ? – **b** Il a passé tout l'après-midi à la maison sans téléphoner. – **c** Tu n'aimes aucune vidéo de ce youtubeur ? – **d** Nous ne postons que des photos.

5   je n'ai pas pu – j'ai perdu – je suis montée – regardaient – parlait – j'ai voulu – j'ai cherché – J'étais – m'a montré – m'a dit – l'ai vu – ne l'as pas perdu

Étape 2

1   **a** semble – **b** as l'air / parais – **c** on dirait – **d** paraît / me va

2   **a** arrêtiez – **b** saches – **c** n'utilisions pas – **d** soit – **e** dise

3   Comme tous les trimestres, je vous propose une liste de certaines expressions à la mode, qu'utilisent les moins de 20 ans.
La langue est une chose vivante qui change en fonction des besoins de chacun (un même mot peut avoir différents sens selon la personne qui l'utilise !) mais aussi en fonction des apports des autres civilisations et cultures. Et toutes les langues n'ont pas la même influence sur le langage jeune ; le swahili par exemple (rappelez-vous de « Hakuna matata » !) n'apporte pas la même quantité de mots au langage des jeunes Français que l'anglais et l'arabe du Maghreb.
Ah… et rappelez-vous aussi que tous les ados n'emploient pas ces mots tout le temps : certains adoptent seulement quelques mots de cette liste et d'autres ne les utilisent même pas du tout !
Et vous êtes bien sûr invités à compléter ma liste et à proposer d'autres mots ou expressions du langage des jeunes que j'ajouterai dans une autre édition de ce blog.

4   Je n'y ai pas encore réfléchi ! – Si tu veux, je m'en occupe / dis-moi ce que tu en penses ! – Tu sais, les pubs, je ne m'y intéresse pas trop ! / je n'y crois pas du tout ! – J'en rêve depuis longtemps ! – après tu ne t'en sers pas ! – Non, je ne m'en souviens pas !

5   **a** Tu connais cette marque étrangère ? – **b** Je trouve que c'est la meilleure publicité de l'année. – **c** Je m'en souviens parce que c'est un slogan efficace ! – **d** Ils ne présentent pas seulement de bons produits.

Étape 3

1   **a** Plus la date de la finale approche, plus je stresse. – **b** Il a de moins en moins de succès. – **c** Dans ton équipe, c'est pareil que dans la mienne. – **d** Il est beaucoup plus fort, comparé aux autres joueurs. – **e** Je rêve de monter sur un podium, comme les grands sportifs.

2   **a** en – **b** Depuis qu' – **c** le lendemain – **d** La veille – **e** pendant – **f** plus tôt – **g** Dès – **h** Depuis

3   **1989** : Teddy Riner est né le 7 avril, en Guadeloupe.
2007 : Il est devenu le plus jeune champion du monde de judo. On avait commencé à parler de lui l'année précédente pour son titre de champion d'Europe junior.

2010 : Mauvaise année : il n'a pas remporté le titre toutes catégories aux championnats de Tokyo. C'est sa deuxième défaite car il avait aussi perdu la compétition poids lourds des JO deux ans avant.
2016 : Il a gagné la médaille d'or aux JO de Rio. Une médaille qu'il avait déjà gagnée à Londres, quatre ans plus tôt.
2018 : Il a remporté son dixième titre de champion du monde (catégorie des plus de 100 kg). Un record !

4 a Lesquels pratique-t-elle depuis son enfance ? – b Lesquelles choisiront-ils ? – c Laquelle a été la plus importante pour vous ? – d Lequel a-t-il présenté ?

5 a Elsa demande à son ami ce qu'il va faire s'il gagne. – b Hadrien demande à Max s'il a déjà participé à ce concours. – c Naïma se demande comment il fait pour battre autant de records. – d Gaspard conseille à Yamina de s'entraîner pour la finale. – e Héloïse dit à Mathieu qu'il a un talent incroyable. – f Loïc demande au champion ce qu'il va faire après le tournoi.

Étape 4

1 secourir les animaux victimes de maltraitance – développer le lien intergénérationnel – accompagner des personnes en situation de handicap – sensibiliser les générations futures au réchauffement climatique – protéger l'environnement

2 a D'après / Selon – b Personnellement – c Quelle est votre opinion sur / Que pensez-vous de – d avis – e Quelle est ton opinion sur les / Que penses-tu des – f D'après / Selon

3 a -e – b -s – c -Ø – d -es – e -s – f -es

4 a pour que / afin que – b a pour but / a pour objectif – c afin / dans le but

5 a Si on proposait un stage de secourisme, vous voudriez / voudriez-vous vous inscrire ? – b Si nous faisions / avions fait une collecte de vêtements, nous pourrions donner l'argent aux Restaurants du Cœur. – c Si tu étais maire, tu changerais quoi en premier ? – d Si la ville n'avait pas fait ces travaux, les personnes en situation de handicap ne se déplaceraient pas librement, maintenant.

Étape 5

1 a Eh ben dis donc, hallucinante cette invention ! – b Ça alors ! J'en reviens pas ! T'es sérieux ? – c Ah bon ? Ce truc n'est pas un réveil ? Ça m'étonne ! – d Tu participes au concours Lépine ? Sans blague !

2 a a fabriqué – b seront exposées – c a été sélectionnée – d facilite – e étaient réalisées

3 a avant de – b après être – c avant – d après avoir – e après

4 a La Préhistoire est une époque où les hommes n'étaient pas sédentaires. – b Le vaccin est une découverte qui a révolutionné la médecine. – c Le 18e est un siècle dont on se souvient comme du « siècle des Lumières ». – d Léonard de Vinci est un scientifique dont les inventions sont toutes très importantes. – e Le concours Lépine est un concours qu'on organise tous les ans depuis 1901. – f C'est lui qui a découvert la grotte où on peut admirer des peintures préhistoriques.

5 a Il va participer soit au concours Lépine, soit à un autre concours d'inventeurs. – b Je pense qu'il a mis au point l'ampoule, plutôt que la pile électrique. – c Ça doit être Alfred Nobel qui a découvert ça. Ou alors c'est Thomas Edison ?

Étape 6

1 a Luce n'a pas tort ! – b Exactement, Loïc ! – c Attends Ian, laisse-moi parler ! – d N'importe quoi, Anna !

2 a 3 – b 4 – c 1 – d 2

3 a Tu peux lire le journal en écoutant de la musique en même temps ? – b En faisant attention, on voit bien que c'est un photomontage. – c Robert Jahns est-il devenu célèbre en publiant cette photo de Thomas Pesquet ? – d J'ai eu envie de mieux m'informer sur le sujet en lisant cet article.

4 **Mais existe-t-il** quand même **certains « trucs » pour nous aider à décoder ?**
Les sources d'information : Même si beaucoup de journalistes (…)
Notre cerveau : Il traite des centaines d'informations chaque seconde ; cependant, pour faire ce travail rapidement, il peut faire des simplifications trompeuses.
Les photos : (…) Pourtant, grâce à des logiciels, certaines sont parfois modifiées.

5 Cher Arnaud,
J'ai interviewé Spyros Melaris, un magicien, qui m'a raconté que le 23 octobre 1995, TF1 avait diffusé dans son émission « L'Odyssée de l'étrange » des extraits d'un film où apparaissait le célèbre extraterrestre de Roswell qu'on avait trouvé en 1947 au Nouveau-Mexique. Mélaris m'a confirmé qu'on avait vendu le film à 27 pays pour

une somme totale de 4,5 millions d'euros !! Mais il m'a dit qu'en réalité il s'agissait d'un fake et qu'il avait réalisé le film dans un appartement à Londres, et qu'un de ses amis sculpteurs, John Humphreys, avait fabriqué l'extra-terrestre ! Il m'a aussi annoncé que, prochainement, il ferait une émission à la télé pour raconter toute la vérité.

Je te tiens au courant…

Jean

Étape 7

1 – Tu as consulté les offres d'emploi pour trouver un job pour l'été ?
– Oui, mais je n'ai rien trouvé, alors je vais postuler dans l'entreprise où travaille mon père.
– Tu peux aussi aller porter ta lettre de motivation directement à un employeur. Moi, j'ai fait comme ça pour décrocher mon stage d'observation et ça a bien marché !

2 a c'est-à-dire → n°3 – b tout d'abord → n°1 – c en fait → n°4 – d Puis → n°2

3 a Oui, elle me l'a montré. – b Si, je le lui ai envoyé. – c Non, je ne le leur ai pas présenté. – d D'accord, donnez-le-moi.

4 a 2/3/4 – b 1/3 – c 2/3/4 – d 2/3/4

5 a La conseillère d'orientation est certaine que Romain réussira son bac, mais Romain, lui, n'en est pas certain. – b Valentine n'est pas persuadée que cette filière ait des débouchés, mais Zaïd, lui, en est persuadé. – c Florentin doute que Paul veuille partir à l'étranger, mais Luce, elle, n'en doute pas. – d Mathias est convaincu que, dans vingt ans, ils oublieront les rêves de leurs quinze ans, mais Oriane, elle, n'en est pas convaincue.

Étape 8

1 – Oh, j'ai hâte que ce filme sorte ! J'ai l'impression qu'il va être super !
– Moi, je n'aime pas trop les films de SF ! Toutes ces avancées technologiques, ça me fait un peu flipper ! Bientôt, elles ne seront plus seulement dans nos tablettes ou nos smartphones mais on les aura partout : dans nos vêtements, dans nos lunettes, même dans notre corps !
– Pourquoi ? Tu as peur de devenir un cyborg ? Moi, au contraire, je trouve fascinant qu'on puisse presque devenir des superhéros avec des superpouvoirs !
– Mais c'est pas risqué qu'on ait tous des superpouvoirs ? Moi, en tout cas, ça m'inquiète un peu…
– Oh la la, je crains que tu ne sois pas préparé à vivre le siècle qui nous attend !

2 a lors / au cours – b lorsque / quand – c pendant – d au moment

3 a Dans le futur peut-être qu'on se nourrira principalement d'insectes. – b Il est peu probable que nous construisions des villes sous l'eau. – c Il se peut qu'il y ait aussi des avions autonomes. – d Le changement climatique nous inquiétera probablement toujours autant.

4 **Blade Runner 2049 h** Il s'agit d'un film de science-fiction du réalisateur canadien Denis Villeneuve dont **d** l'histoire se déroule en 2049. Le film **g** raconte l'histoire de K (Ryan Gosling), un humanoïde appelé « réplicant », chargé d'éliminer les anciens modèles. **j** Un jour, K part en mission dans une ferme et découvre, **i** tout à coup, un détail qui lui rappelle un cheval de bois qu'il avait quand il était enfant. K poursuit ses missions, **c** jusqu'au jour où il retrouve, près d'un orphelinat, le petit cheval de bois !
Comment cela est-il possible, si les souvenirs des réplicants sont implantés, donc faux ? **a** C'est alors qu'il décide d'aller voir Ana (Carla Juri), une ingénieure de la mémoire, qui identifie le souvenir de K comme réel ! **f** Petit à petit, K va faire des découvertes sur son passé et découvrir, en fait, qui il est.

Critiques spectateurs

Par Florian : J'ai bien aimé ce film car **b** il nous fait réfléchir sur nos origines et **e** il nous montre les dangers d'une société dominée par la technologie...

5 a Louis *observa* le corps allongé sur le lit ; il mit (**b** *mettre*) un moment avant de comprendre que c'était son propre corps qui reposait devant lui ! Une fine ligne rouge qui partait de son front arrivait jusqu'à sa bouche. Louis put (**c** *pouvoir*) sentir le goût du sang ; de son propre sang.
Il sortit (**d** *sortir*) enfin de son sommeil. Ses doigts touchèrent (**e** *toucher*) son front : il fut (**f** *être*) surpris de ne trouver aucune trace de blessure… Il eut (**g** *avoir*) un moment d'hésitation et alluma (**h** *allumer*) la lumière. C'est alors qu'il comprit (**i** *comprendre*) qu'il avait fait un cauchemar. Le même cauchemar qui revenait de plus en plus souvent ces dernières semaines !

Achevé d'imprimer par L.E.G.O. S.p.A. Lavis (TN) - Dépôt légal : Janvier 2019 - Collection n° 60 - Édition n° 03 - 15/9321/1